PASSION

LES YEUX DU PASSÉ

Dans la même collection

367. La rousse de Silverwild.
368. Un royaume pour Alice.
369. Corps interdits.
370. Un rat de bibliothèque.
371. Des feux de la Martinique.
372. Pour l'amour d'un Texan.
373. La fille de Jones.
374. Mady et les tortues.
375. Esprit es-tu là?
376. Capitaine apprivoisé.
377. Par-delà les siècles.
378. Secrets bien gardés.
379. Souvenirs de demain.
380. L'ange de la terre.
381. Retour de flamme.
382. Par amour, par pitié.
383. La part de vérité.
384. Dur à cuire.
385. Présumée coupable.
386. Médaille d'or.
387. Sous l'oeil de Bouddha.
388. Les petits secrets.
389. Le péché de Sarah.
390. Les nuits de Louisiane.
391. La guitare des passions.
392. Les contes de Susan.
393. L'oiseau voyageur.
394. La première tentation.
395. A petit feu.
396. Flammes sous la pluie.
397. La minute décisive.
398. Les bracelets d'argent.
399. Au-devant des ennuis.
400. Soleil de l'Arizona.
401. Le coeur de Suzanna.
402. La dame et le cow-boy.
403. Péché de famille.
404. La messager du bonheur.
405. Dansez avec moi.
406. La célibattante.
407. La dame en rouge.
408. La lune et les ombres.
409. La vie secrète d'Élisa.
410. Passé trop lourd.
411. Cœur de dragon.

BILLIE GREEN

LES YEUX DU PASSÉ

Titre original :
IN ANNIE'S EYES

Première édition publiée par Bantam Books, Inc., New York, dans la collection Loveswept ®. Loveswept est une marque déposée de Bantam Books, Inc.

Traduction française : Alexandre Arno
Couverture © 1991 by George Tsui

ISBN : 2-285-00986-0
ISSN : 1158-6117

1

ENFIN il la retrouva.

C'était par une journée banale de la mi-mars. Dans une rue quelconque, Max allait sans but, agité par ses pensées habituelles.

Tout donc n'était qu'ordinaire. Le temps, la rue, l'humeur.

Puis, soudain, le soleil trancha dans les nuages et tout changea.

Il la vit.

Même après onze ans, malgré le flot des voitures qui les séparait, il n'eut aucune peine à la reconnaître. Sa coiffure était différente, mais les cheveux dorés étaient bien les mêmes. Le tailleur bien coupé était plus sophistiqué que les vêtements qu'elle portait alors, mais elle le portait avec la même grâce innée. Quelque chose dans ses traits délicats et son allure aérienne attirait l'attention, comme si elle n'était pas tout à fait réelle, un être diaphane venu d'un monde plus harmonieux.

Tandis que Max l'observait depuis le trottoir

d'en face, elle leva la tête pour parler à l'homme qui marchait à son côté. Mais, quand celui-ci se pencha sur elle en souriant, Max eut un haut-le-corps.

Max avait eu suffisamment le temps de penser, au cours des onze années passées, à sa réaction lorsqu'il la reverrait. A cet instant, il savait. Rien n'avait changé. L'émotion qu'elle lui inspirait était intacte. Pour elle, il pouvait toujours agir sans réfléchir.

Il enfonça ses poings serrés dans les poches de sa vareuse. La revoir, éprouver les mêmes vieilles sensations, le laissait pantelant.

« Du calme », s'ordonna-t-il.

Il prit une profonde inspiration. Il devait s'obliger à la réflexion.

Max avait attendu longtemps cette opportunité. De longues et douloureuses années. Il pouvait bien attendre encore un peu.

Anne ralentit le pas pour laisser à son patron et ami le temps de la rattraper.

– Cliff... Cliff? Que regardez-vous?

– Comment? Oh, rien. Juste ce garçon, de l'autre côté de la rue.

– Où?

Elle ne vit qu'un adolescent aux cheveux flamboyants lissés de gomina et leva ses yeux gris interrogateurs sur son compagnon.

– Non, pas celui-ci, rectifia Cliff. L'autre a disparu, mais on aurait dit qu'il voulait traverser pour... Avez-vous habité San Antonio?

Anne stoppa net.

– Dois-je connaître la ville? Ah non, je vois. Vous essayez encore de fouiller dans mon passé si mystérieux. Non, Cliff, non je n'ai jamais vécu ici.

Jetant un coup d'œil à sa montre, elle ajouta :

– Nous allons être en retard, dépêchons-nous.

Dans l'ascenseur qui, un peu plus tard, les amenait à leur lieu de rendez-vous, Cliff revint à la charge :

– N'avez-vous jamais passé de vacances ici?

– Non. Pas même une fin de semaine. C'est vraiment ma première visite à San Antonio.

Anne leva sur Cliff un regard amusé avant de poursuivre :

– Si l'homme que vous avez remarqué appartient à mon passé, il voulait sûrement traverser pour venir m'étrangler.

Après un instant, et sans oser baisser les yeux sur elle, Cliff reprit :

– Vous étiez peut-être une espionne avant que je vous connaisse?

– Que non! s'esclaffa la jeune femme, rien d'aussi important. Cliff, je vous en prie, cessez de voir un compagnon pour moi dans tous les hommes que vous croisez.

– C'est que je n'aime pas vous voir toujours seule.

– Alors, donnez-moi l'exemple. Il y a plus de quatre ans que Paula nous a quittés.

Cliff Warner et sa femme venaient à peine de célébrer le vingtième anniversaire de leur mariage lorsque Paula avait succombé à une crise cardiaque. Depuis, aucune autre femme n'avait réussi à prendre sa place dans la vie de Cliff.

Voyant la mélancolie s'emparer de l'expression de son ami, Anne le prit par le bras et s'écria :

– Allons, nous sommes très bien ainsi, deux célibataires qui ne pensent qu'à leur travail, n'est-ce pas?

– Vous avez raison.

Les portes de l'ascenseur s'ouvrirent à l'étage où on les attendait et ils sortirent bras dessus, bras dessous, bien décidés à gagner la partie.

M. Hector Sanchez, président-directeur général des industries Alto Tool savait très bien ce qui leur avait fait demander une entrevue. Cliff le lui avait expliqué par téléphone à plusieurs reprises. Il s'agissait de sauver l'économie d'Emily, petite ville où Cliff et Anne s'étaient installés.

Renversé dans son fauteuil directorial, M. Sanchez les écouta exposer, une fois encore, les motifs qui les avaient poussés à entreprendre cette campagne de sauvegarde, puis il prit la parole :

– Je comprends fort bien que la fermeture de l'aciérie ait entraîné une sérieuse crise à... Emily. Quel joli nom de ville. Ne croyez pas que je ne m'intéresse pas à votre cas. Bien au contraire. Mais vous devez savoir que de nombreuses petites villes souffrent...

– D'un déclin économique, coupa Anne. C'est

une belle phrase, monsieur Sanchez. Belle et froide. Mais qui n'exprime pas exactement la situation que nous vivons à Emily. Des gens, des braves gens souffrent. Vous n'avez pas le droit de...

Fermement, Cliff la reprit :

– Anne!

Mordant sa lèvre supérieure, la jeune femme se rejeta dans sa chaise. Cliff avait raison. Ils n'étaient pas ici pour faire une démonstration émotionnelle. Ils étaient dans ce bureau pour convaincre Hector Sanchez du succès que serait pour Alto Tool la construction d'une de ses usines à Emily.

Hélas pour Anne, elle mettait tout son cœur dans ce projet. Les habitants de la charmante petite cité ne s'intéressaient ni aux graphiques ni aux statistiques, et les grandes phrases sur l'économie ne leur disaient rien. Tout ce qu'ils savaient, c'est que la faillite de l'aciérie avait entraîné la ruine pour un tiers de la population active. Le choix était simple. Ou bien ils devaient s'expatrier ou bien il leur fallait trouver une entreprise pour remplacer celle qui avait fermé ses portes. Quitter Emily était déchirant pour des gens qui avaient toujours vécu dans cette communauté où tous étaient solidaires les uns des autres.

Cliff et Anne avaient donc accepté de représenter leurs intérêts et de parcourir le pays à la recherche d'un investisseur. Le maire aurait dû prendre la tête de cette campagne, mais ni lui ni les conseillers municipaux n'étaient des hommes d'affaires. C'étaient des hommes simples, attachés aux rudes valeurs du travail et peu portés aux négociations commerciales.

Cliff Warner, propriétaire d'une chaîne de magasins de vente d'ordinateurs, petite mais prospère, était le citoyen le plus en vue d'Emily et tous avaient la plus absolue confiance en lui. Il s'était donc lancé dans l'aventure pour aider sa ville natale à surmonter la crise. C'était ce qui depuis plusieurs semaines les avait projetés, Anne et lui, sur les routes du pays. Ils devaient convaincre de puissants industriels qu'une petite fille du sud du Texas était l'endroit idéal pour implanter une nouvelle usine. Et voilà pourquoi ils étaient assis ce jour-là face à quelqu'un qui, manifestement, regrettait de s'être laissé aller à un bon mouvement.

Cliff exposa longuement tous les avantages promis par la municipalité, que Sanchez annotait soigneusement sur son bloc. Puis Anne insista sur le côté humain, le potentiel que représentaient les hommes d'Emily, leur courage, leur loyauté. Lorsque le puissant directeur des industries Alto Tool mit fin à l'entretien avec de vagues paroles lénifiantes, elle était prête à se livrer à des voies de fait sur le gros homme.

Deux heures plus tard, ils roulaient sur la route qui reliait Emily à son petit aérodrome. Ils n'avaient encore fait aucun commentaire sur la décevante entrevue. Anne sortit de son porte-documents la liste qu'ils avaient établie un mois plus tôt.

– La semaine prochaine, Houston à nouveau, remarqua-t-elle. Cette fois, ce sont les textiles Jayco. Non, ceci est une fabrique de peintures...

– Il avait déjà pris sa décision avant que nous entrions dans la pièce, coupa Cliff.

– Cliff?

– Non, Anne, rassurez-vous, je ne vais pas renoncer. Je comprends quand le refus est fondé sur des raisons valables, mais Sanchez ne nous a même pas écoutés.

Il relâcha un peu le volant et jeta un regard de côté sur sa passagère.

– Ce que vous m'avez dit tout à l'heure, dans l'ascenseur, Anne... A propos de cet homme qui aurait voulu vous étrangler... Vous parliez sérieusement?

Songeuse, la jeune femme ne répondit pas immédiatement.

– Ce n'est pas une simple curiosité, reprit Cliff. Je sais que je ne devrais pas, mais je me fais du souci pour vous.

– Croyez-vous que je l'ignore, mon cher ami? Vous êtes l'homme le meilleur et le plus généreux que j'aie connu. Je sais que je vous dois...

– Vous ne me devez rien. Je vous ai sans doute donné une belle situation, mais j'ai eu en vous une adjointe parfaite. Vous vous occupez de tout. Si vous n'aviez pas été là quand Paula est morte... Ne me parlez surtout pas de dette. Et nous ne parlerons plus du passé, si vous le souhaitez.

– Mon passé n'a ni mystère ni intérêt. Chacun de nous a ses propres échecs. Tous, quand nous étions jeunes, avons fait des choses que nous regrettons. Des folies que nous aimerions mieux oublier.

– J'ai l'impression, Anne, que nous touchons un sujet plus important que les cigarettes que nous allions fumer en cachette dans la grange.

Souriant à l'insistance de son ami, la jeune femme rétorqua :

– Cela, c'est à la campagne. En ville, nous allions dans les ruelles désertes. La vérité, Cliff, c'est que mes relations avec les hommes ne sont pas très bonnes. Ils veulent quelque chose que je ne sais pas leur donner et leur désir me prend par surprise. Je pense de l'un d'eux que c'est un ami et, soudain, je découvre qu'il attend autre chose de moi que l'amitié.

Elle resta songeuse un instant, comme revivant certaines scènes, puis, secouant la tête, reprit :

– Je sais bien que c'est ma faute. Je devrais être plus perspicace. La seule solution a été d'éviter toute relation étroite. C'est aussi simple que ça.

A cet instant, ils sortaient de la route nationale pour emprunter un chemin qui courait le long d'une rivière large et paisible.

– Il y a autre chose, insista Cliff. Nous le savons, vous et moi. Mais laissons ce sujet... pour le moment.

Avec un petit rire, Anne se cala dans son siège. A ce moment-là, elle aperçut, entres les arbres, la petite maison où elle habitait depuis quatre ans et, comme chaque fois, elle sentit un petit frisson de plaisir. Le paysage était doux à cet endroit qui ressemblait à une aquarelle. C'était là, elle s'en rendait compte, qu'elle avait toujours souhaité vivre.

Un peu plus tard, alors qu'elle sortait de la voiture, Cliff proposa :

– Pourquoi ne pas prendre notre matinée demain? Nous avons beaucoup travaillé. Ne me regardez pas ainsi, Anne. Je ne suis ni vieux ni découragé, mais je devrais être en préretraite. J'ai simplement envie d'aller à la pêche.

– Mais, Cliff, vous n'avez nul besoin de ma permission.

Dès qu'il eut disparu, elle se précipita chez elle, se défit de ses vêtements et prit une rapide douche. Pour rien au monde elle n'aurait voulu rater le coucher de soleil sur la rivière.

Après avoir enfilé une douillette robe d'intérieur, elle se fit une tasse de thé et alla s'installer sur la terrasse. Des moments de calme s'écoulèrent, tandis qu'elle sentait la tension de son corps se relâcher. Mais, ce soir, la paix de l'esprit lui échappait.

Elle n'aurait pas dû parler du passé avec Cliff. Même si peu. Car le passé n'allait pas la quitter si facilement.

– Weiden Street, murmura-t-elle.

Anne avait cinq ans quand sa mère et elle s'installèrent dans le quartier est de Dallas, précisément dans cette rue qu'elle venait de nommer. Elle n'avait pas eu sa propre chambre à coucher auparavant, ni même de lit tout à elle. Elle dormait sur le divan du salon ou, s'il n'était pas libre, sur un matelas posé par terre. Elle n'avait pas eu non plus de jardin. Leur nouvelle résidence avait un minuscule jardinet, couvert d'herbe jaunissante et de quelques fleurs. Pour une fillette de cinq ans, déjà avisée, c'était le paradis.

Anne n'avait jamais connu que sa mère, qui ne s'était jamais préoccupée de lui dire qui était son père ni où il était. C'est ainsi que la petite fille avait pris l'habitude d'être seule tandis que sa mère travaillait, de jour comme de nuit. Cela ne l'ennuyait pas. Elle avait ses livres, une imagination très développée et toute la liberté du monde.

Au bout de deux semaines passées à explorer le bout du terrain qui flanquait la demeure, l'enfant décida qu'il était temps d'aller inspecter la fameuse rue.

C'était par une belle journée, chaude et gaie. Au bout de quelques mètres, elle aperçut deux petites filles, sagement coiffées, qui jouaient à la poupée sur la pelouse, devant leur maison. Elles étaient assises sur une couverture étendue à l'ombre d'un arbre en fleur.

Une des enfants l'appela :

– As-tu un bébé?

Anne secoua la tête de gauche à droite. Alors l'autre, gentiment, l'invita :

– Tu peux jouer avec Lisa, si tu veux.

Anne resta un moment sans bouger, puis, d'un pas précautionneux, s'avança, ne quittant pas des yeux l'imposante villa avec de grandes baies vitrées. Personne ne semblait surveiller. Elle aurait peut-être de la chance.

Elle s'assit en tailleur, à l'extrême pointe du plaid, et prit dans ses bras ladite Lisa, triste poupée aux membres désarticulés et aux cheveux rares. Elle ne toucha à aucun autre des jouets attirants et ne dit mot, écoutant avidement, comme à son habitude.

Et puis, très vite, elle entendit une porte claquer et trois garçons plus âgés arrivèrent en courant, qui lui crièrent :

– Va-t'en. Rentre chez toi. Maman dit que tu dois t'en aller et ne pas jouer avec nos sœurs.

Anne ne discuta pas. Elle reposa Lisa sur le sol, se leva et s'en alla sans un regard pour aucun d'entre eux. Les garçonnets continuaient à crier, déçus sans doute qu'elle ne leur tînt pas tête.

Hélas, Anne avait déjà été attaquée, et elle comprenait que son silence ne faisait qu'empirer les choses, mais elle ne savait comment réagir autrement. En elle, quelque chose l'obligeait à tenir la tête haute, cacher sa peur et s'éloigner avec dignité.

C'est seulement quand un caillou heurta sa nuque qu'elle se mit à courir. Cela enragea les garnements qui se mirent à sa poursuite en la traitant de noms très laids qu'elle avait eu la douleur d'entendre à maintes reprises par le passé.

Elle courait aussi vite que le lui permettaient ses petites jambes, non pour éviter les pierres des garçons, mais pour échapper à leurs épithètes.

En atteignant un coin, elle fit une pause pour reprendre souffle. A ce moment-là, elle se sentit attrapée par derrière. Tout ce qui la faisait se conduire avec calme la fit alors lutter de toutes ses forces. Elle donna des coups de pied, mordit et égratigna. A ses oreilles, une voix rassura :

– N'aie pas peur, petite fille. Je suis un des bons garçons.

Ses persécuteurs arrivaient et elle fut relâchée. Quand elle se retourna, elle vit un garçon plus âgé qu'elle, d'environ dix ans, avec des cheveux blonds en broussaille et de larges yeux bruns rieurs. Il distribuait des coups aux autres qui, bien qu'à trois contre un, ne tardèrent pas à prendre la fuite.

– Ça va, petite fille? Mais qu'est-ce que tu as à la joue?

Quand, avec douceur, il toucha le petit visage écorché, Anne se laissa aller contre lui. Elle ne pleura pas. Elle ne pleurait jamais. Elle n'avait plus peur et, pourtant, ne cessait de trembler tandis qu'il lui caressait les cheveux en murmurant :

– Pauvre petit chat. Pauvre petit chat. Comment t'appelles-tu?

– Anne. Annie Sea...

– Qu'est-ce qu'il y a?

C'était une nouvelle voix et Anne releva les yeux, découvrant une fille qui devait avoir à peu près son âge, mais plus grande, maigre et brune.

– Elle s'appelle Annie, expliqua le blondinet, et les petits imbéciles du bout de la rue lui faisaient des misères.

– Quels crétins, s'exclama la petite brune. Qu'est-ce que tu leur as fait?

Fixant le bout de ses sandalettes, Anne répondit :

– Ils ne voulaient pas me laisser jouer avec les poupées.

Pourtant, elle savait que les poupées n'y étaient pour rien. Elle savait depuis toujours que c'était à cause d'elle-même, qu'il y avait en elle quelque chose de si mauvais que les autres enfants, de gentils enfants, n'avaient pas la permission de jouer avec elle. Elle avait espéré qu'il en irait autrement à Weiden Street. Elle venait d'apprendre que non.

– Eh! s'écria le garçon, ne va plus jouer avec ces marionnettes. A partir de maintenant, tu seras avec Ellie et moi.

– Bien sûr, approuva ladite Ellie. Mais, Max, qu'allons-nous faire avec elle? Elle a l'air d'une petite danseuse. Comment pourra-t-elle nous aider à battre les vilains garçons?

Max jeta un regard sur Anne avant de répondre :

– Elle sait très bien lutter. Mais nous n'avons pas besoin d'un autre guerrier. Ce qu'il nous faut, c'est une princesse captive dans le donjon. Nous pourrons le mettre dans le cerisier et aurons vraiment quelqu'un à délivrer.

– D'accord, admit Ellie, mais il lui faut au moins une robe longue, un...

– On vous interdira de jouer avec moi, intervint Anne.

Elle ne voulait rien leur dire, mais elle était sûre que, tôt ou tard, ils sauraient.

– Qui ? s'étonna Max. Les frères stupides ?

– Ta mère. Ou la sienne.

Paraissant profondément intéressée, Ellie demanda :

– Pourquoi ? As-tu une maladie contagieuse ?

Le regard d'Anne alla de l'une à l'autre. Elle ne comprenait pas ce que cela voulait dire.

– Elle veut dire si tu es malade et si cela s'attrape, précisa Max.

Anne réfléchit un instant, puis, dans un souffle :

– Peut-être.

Ellie recula imperceptiblement. Pas Max. Il mit la main sur l'épaule de la petite fille et lui dit :

– Pour le moment, nous allons te ramener chez toi. Où habites-tu ?

– 201. 201, Weiden Street.

Un étrange silence s'abattit sur les enfants. Levant les yeux, Anne vit que Max et Ellie se consultaient du regard par-dessus sa tête. Ellie siffla légèrement entre ses dents et murmura :

– Sa mère est...

Elle s'interrompit et, le regard plein de tendresse, se pencha vers Anne pour l'embrasser.

Max serra les poings.

– Sales petits voyous, proféra-t-il. Je comprends pourquoi on les empêche de jouer avec elle.

Il attira Anne contre lui et déclara :

– A présent, tu nous as, fillette. Tu as compris. Tu as Ellie et tu m'as, moi. C'est tout ce dont tu as besoin.

Avec désespoir, elle voulait le croire. Pour la première fois de sa vie, quand il était près d'elle et la serrait dans ses bras, elle se sentait protégée.

Ce sentiment de sécurité avait perduré. Pour des raisons qu'elle ne comprit que plus tard, Ellie et Max n'avaient pas besoin d'autorisation pour jouer avec elle et, les années passant, le trio s'était consolidé. Ils bâtirent leur monde propre et grandirent ensemble, créant des liens plus forts que ceux du sang.

Le menton dans ses mains, Anne murmura pour elle-même :

– Ce n'est plus que du passé.

La nuit était tombée. Puis, lentement, la lueur du jour naquit. Anne demeurait assise dans son fauteuil, envoûtée par le passé, incapable de le changer. Incapable de renoncer à *lui*.

Dès qu'elle fermait les yeux, elle revoyait son visage avec la plus grande netteté. Onze ans s'étaient écoulés pourtant. Et l'expression de rage qui déformait les traits aimés, tandis qu'il lui hurlait les mots terribles :

« Tu n'es qu'une prostituée, comme ta mère! »

Elle ouvrit les yeux et porta la main à son cœur pour en apaiser les battements. Ce n'était pas possible, cela n'avait pas pu se produire. Jamais elle ne lui avait vu cette figure tourmentée et jamais il n'avait prononcé ce genre de phrase.

Mais, s'il revenait, il recommencerait.

2

AGENOUILLÉE dans son jardinet, Anne mettait en terre des bégonias aux couleurs chaudes qui jetaient une note vive dans le parterre consacré à des plantes vertes et vivaces.

Sur ses épaules découvertes, elle sentait la chaleur du soleil et, de temps en temps, se tournait vers la rivière pour le seul plaisir de voir rouler l'eau. Il lui plaisait de savoir que les mêmes rayons qui la réchauffaient faisaient scintiller les vaguelettes.

Elle entendit crier son nom et, en guise de bienvenue, lança :

– Par ici. Je suis dans le jardin.

Sans changer de position, elle ouvrit les bras. Un bambin aux cheveux de jais s'y précipita avec une telle force qu'il la fit vaciller.

– Peter, mon ange, ne la tue pas.

Carla Angelo, la mère de Peter et la meilleure amie d'Anne, venait vers eux.

– Anne, Anne, pleurnicha l'enfant.

– Peter, Peter, qu'as-tu, mon chéri?

– J'ai perdu ma pelle.

– Prends la mienne.

– Seulement ici, Peter, l'avertit sa mère. Si tu l'emmènes à la maison, tu la perdras, comme l'autre. Tu sais, Anne, il enterre tous ses trésors dans le jardin, derrière la maison. La pelle y est sûrement avec l'horrible personnage en plastique que lui a offert l'oncle Joss.

Carla avait des mouvements languissants et inconsciemment sensuels. Cette jolie rousse était presque une légende à Emily. A dix-sept ans, elle en était partie pour chercher la gloire et la fortune à Hollywood. Après avoir tourné dans quelques spots publicitaires et sans que le succès l'ait effleurée, elle avait réintégré la petite ville avec une valise en carton, un nouveau-né dans les bras. Muette sur sa période hollywoodienne, elle s'était installée avec sa mère, une veuve, et s'était engagée comme serveuse au *Longhorn*, l'établissement qui appartenait à Cliff.

Anne avait découvert très vite que les vêtements aguichants de Carla et son franc-parler étaient sa défense. La jeune femme savait qu'elle était la cible des commérages et, délibérément, jouait à fond le rôle de la fille sans complexes.

Regardant pensivement le petit bonhomme qui trottinait sur le gazon, Anne dit soudain :

– Je t'envie.

– Je te le vends. A moitié prix. La promotion du jour.

Sachant que Carla était prête à trucider qui

aurait tenté de lui enlever son enfant, Anne remarqua :

– Si seulement c'était vrai.

– Il était triste parce que je ne t'ai pas proposé de venir au carnaval avec nous, et que tu n'avais pas de petit garçon pour t'accompagner. Il est amoureux de toi, soupira Carla, comme à peu près tous les mâles de la ville.

Anne se leva et essuya ses mains sur son tablier en s'écriant :

– Ils ne sont pas amoureux de moi. Ils me plaignent parce que je suis l'ignorante enfant des grandes cités.

– Oui, oui, railla Carla. Je t'en prie, assieds-toi. Je ne t'ai jamais vue un peu tranquille, allongée sans rien faire. Tu as cet air serein, mais tu ne sais pas t'arrêter, même une minute.

Anne accepta le défi et s'assit à même le sol, les genoux ramenés sous le menton.

– J'ai sans doute peur de faire une halte qui me permettrait de jeter un regard sur ma vie et de n'y découvrir que le néant.

– Que dis-tu? s'étonna Carla. Tu es cynique, ma chère, comme je peux l'être.

– Tu as raison, j'ai tort. J'aime ma vie. J'ai de la chance, plus que je ne le mérite.

– Bon, cela ressemble plus à notre petite sainte Anne.

Après une pause, Carla reprit :

– Y a-t-il quelque chose entre Cliff et toi?

Le changement brutal de sujet prit Anne au dépourvu.

– Quelle question! s'écria-t-elle. Tu sais très bien ce que je ressens pour Cliff. Dans un monde meilleur, plus juste, il aurait été mon père. C'est exactement le père dont je rêvais.

Un instant, elle resta silencieuse, pensant à cet être qui l'avait engendrée et ne s'était jamais préoccupé d'elle. Secouant son amertume, elle répéta :

– Pourquoi cette question?

– Depuis votre voyage à San Antonio, je te trouve bizarre. Je pensais que, peut-être, il y avait du nouveau entre lui et toi.

Carla s'efforçait d'employer un ton désinvolte. Trop. Anne écarquilla les yeux tandis que lui venait à l'esprit une idée qu'elle exprima aussitôt :

– Tu aimes Cliff. Comment se fait-il que je ne m'en sois pas aperçue avant? Carla, c'est merveilleux. Tu es juste...

– Anne, stop! Tu sais très bien que je ne crois pas à ces sornettes. J'aime Peter. J'aime ma mère. J'aime mon manteau de cachemire et ma nouvelle robe. Mais... ce que tu dis, c'est comme le gros lot. On en parle beaucoup et on ne le touche jamais.

Alors qu'Anne ouvrait la bouche pour protester, elle leva la main pour l'arrêter et reprit :

– N'essaie pas de dévier la conversation. Si ce n'est pas Cliff, que t'est-il arrivé à San Antonio? Tu es différente. Comme si ton corps était ici, et ton esprit ailleurs, dans une autre époque.

Anne détourna les yeux de son amie et les fixa sur la rivière. Un autre endroit, un autre temps.

Que pouvait voir Carla sur son visage? Depuis son retour de San Antonio, trois jours auparavant, elle avait lutté pour repousser son passé et, pourtant, Carla sentait sa présence en elle.

– Tu n'es pas heureuse ici? s'inquiéta Carla.

– Comment peux-tu demander cela? Emily est ma demeure. Les gens d'ici sont ma famille. Tu ne peux pas savoir ce que cela signifie.

Elle hocha la tête. Elle n'avait jamais entendu parler d'Emily jusqu'au jour où, quatre ans plus tôt, Cliff avait décidé de prendre une semi-retraite et de retourner dans la ville qui l'avait vu naître et où il avait été élevé. Il lui avait alors proposé de l'accompagner et de continuer ses fonctions auprès de lui. Anne n'avait pas hésité un instant. Rien ne la retenait à Houston. L'idée d'être une étrangère dans une communauté unie ne l'avait pas dérangée. Elle avait l'habitude d'être solitaire.

Mais les habitants d'Emily n'avaient pas réagi comme elle s'y attendait. Ils ne l'avaient pas considérée d'un air soupçonneux ou supérieur. Ils l'avaient adoptée immédiatement et sans restrictions.

– Dès le premier jour, j'ai su que ma place était ici. Comme si j'avais été absente pendant longtemps et que je revenais au foyer. Tu es née ici et cela te paraît normal. Tu savais qu'ils t'ouvriraient les bras à ton retour. Pour moi, c'est comme un miracle.

D'un ton sarcastique, Carla commenta :

– Oh oui, ils m'ont bien accueillie quand je suis

revenue. Ils sont charmants quand je les croise dans la rue ou quand je leur sers un verre au *Longhorn*. Puis ils rentrent chez eux et me déchirent à belles dents entre le pot-au-feu et la tarte aux pommes. Je les entends d'ici. « Cette Carla a toujours été une drôle de fille. » « Je savais bien qu'elle tournerait mal. » « Et ramener ce petit morveux. Pas de mari, pas de bague au doigt. »

– Carla!

– Pardonne-moi. Tu as raison. J'ai de la chance, moi aussi. Ils me débinent, mais ils adorent Peter. Je ne peux pas exiger plus.

Anne regarda autour d'elle, soudain impatiente. Carla avait raison, elle était incapable de se laisser aller.

– Je crois, annonça-t-elle, qu'il faut que je me remue. Je dois me préparer pour la réunion de ce soir.

Cliff avait convoqué une assemblée pour le soir même. Ils retrouveraient au *Longhorn* le maire et les conseillers municipaux, et leur exposeraient les derniers résultats ainsi que les espoirs qu'ils mettaient dans un prochain voyage à Houston.

– Anne?

Son amie la contemplait, intriguée.

– Tu ne vas pas me dire ce qui ne va pas?

– Ce n'est rien. Un peu de vague à l'âme. C'est le printemps, la nostalgie. Rien.

– Si la nostalgie te fait cet effet, ton passé doit ressembler au mien.

Carla étira son corps pulpeux et appela son fils :

– Viens, mon Peter. Non, laisse le lézard en paix. Il est avec sa famille et ses amis. Anne, je passe te prendre plus tard? Frank m'a portée volontaire pour servir les boissons, le cher petit homme.

Frank Carter était le gérant du bar et le patron de Carla.

– Quelle bonne idée. A tout à l'heure. Au revoir, mon petit Peter.

Dès que Carla et son fils eurent disparu derrière la maison, Anne revint à son jardinage.

La terre, fraîche et humide sous ses doigts, paraissait la calmer et la réconforter. Avant même d'être en âge de reconnaître un pissenlit d'un géranium, ell avait aimé mettre les mains dans la terre et voir pousser les plantes. A dix ans, avec une petite pelle, elle transplantait des herbes sauvages dans son minuscule jardin, à côté des marguerites et des iris que Max et Ellie allait chercher dans des maisons abandonnées.

Puis, un jour, Max commença à lui apporter des fleurs de toute beauté. Un peu plus tard, ce fut tout un outillage de jardinier. Elle ne se demanda plus d'où venaient ces dons. Les plantes n'étaient pas des rescapées de plates-bandes négligées ou des rebuts de pépinière. Elles étaient en parfait état. Coûteuses.

Max avait un petit travail comme vendeur de journaux, mais il donnait à peu près tout ce qu'il gagnait à sa tante pour sa pension et sa nourriture. Il n'avait même pas de quoi s'acheter des vêtements nouveaux. Il n'avait donc pas de quoi acquérir des choses aussi frivoles que ces produits de fleuriste de luxe.

A peine se fut-elle posé la question, qu'Anne lui trouva une réponse : Max volait.

Quand elle le rencontra, il était en train de graver ses initiales sur un vieux tronc de pêcher. A quinze ans, Max était déjà un grand garçon bronzé, au corps mince et aux muscles d'acier. Quand il souriait, il montrait des dents irrégulières mais éblouissantes, et une fossette naissait au creux de sa joue. Ses cheveux blond cendré lui tombaient presque aux épaules. Il portait un T-shirt fané mis dans un jean délavé qui moulait ses longues jambes. Il avait une allure de rebelle qui faisait enrager sa tante Charlotte. C'était aussi une allure que même une fille de dix ans reconnaissait comme sensuelle.

Levant les yeux sur celui qui était tout pour elle dans la vie, Anne, les traits fermés, questionna :

– Tu les as pris, n'est-ce pas? Les plantes et les outils?

Max termina son ouvrage et remit son couteau dans sa poche avant de répondre :

– Laisse tomber, petite fille.

– C'est vrai alors?

– Écoute, je pensais que cela te faisait plaisir.

– Oui, bien sûr, mais...

– Tu ne penses pas qu'ils vont s'apercevoir qu'il leur manque deux malheureuses plantes? Ils en achèteront d'autres, voilà tout.

– Je sais. C'est... c'est toi.
– Arrête de pleurnicher.
– Non. Je gémirai à tout jamais. Je te suivrai partout où tu iras et je gémirai jusqu'à ce que tu deviennes fou. Et je pleurerai. Tu sais que tu n'aimes pas ça du tout.
– Regarde autour de toi, petite fille? Ce n'est pas le royaume des fées. C'est le monde tel qu'il est. Oui, j'ai piqué des choses. Et alors? Les gens prennent ce qui leur plaît.
La fillette dut se mordre les lèvres pour ne pas éclater en sanglots.
– Max, implora-t-elle, les gens qui volent vont en prison. Promets-moi que tu ne déroberas plus rien. On attrape les voleurs et... on les met en *prison*.
L'adolescent fit un bond de côté en protestant :
– Annie, je t'ai déjà dit de ne pas me regarder de cette façon. Tes yeux peuvent rendre fou un garçon.
L'enfant ne comprenait pas ce qu'il voulait dire. Elle savait seulement qu'il ne lui avait pas encore promis de ne plus voler.
– Max, balbutia-t-elle.
Il se tourna soudain vers elle, calmé, souriant de ses dents inégales, la fossette triomphante.
– Tu veux dire que je suis un fripon. C'est très vilain, fillette, très, très vilain. Tu sais ce que cela veut dire? Allons, j'attends.
Elle approuva de la tête et, selon leur vieux rituel, commença :

– Je vous prie d'accepter mes plus humbles excuses, ô grand et puissant Maximilien.

Puis, reprenant son souffle, elle ajouta :

– Je ne vais pas me mettre à genoux, Max, parce que tu voles. Et je ne veux plus que tu le fasses.

Elle prit la main rugueuse et en posa la paume sur sa joue.

– Je t'en prie, Max.

Il ne souriait plus et la contemplait avec un mélange de colère et de tristesse.

Il secoua sa crinière blonde et marmonna :

– Tu gagnes toujours, le sais-tu?

Max avait donc cédé à ses supplications en l'appelant la voix de sa conscience. En fait, ce n'était pas une question de morale. Dès le début, Anne avait placé ses sentiments pour Max au-dessus de toute loi. Elle avait craint seulement pour lui qu'il soit jeté en prison. Elle était terrifiée à l'idée qu'il pourrait la quitter.

Pourquoi fallait-il que tout lui rappelât Max? Ce constant retour au passé n'était pas normal. A cause de cela, elle ne sortait jamais avec d'autres hommes ni n'encourageait leurs avances.

– Mon Dieu, murmura-t-elle, que je suis fatiguée.

Elle était presque lasse d'exister. Accablée d'avoir à vivre dans l'ombre. Elle voulait des enfants. Un petit garçon espiègle comme Peter. Une délicate petite fille. Elle voulait une vie comme tout le monde.

Anne se leva en s'essuyant machinalement les mains. C'était idiot de s'appesantir sur elle-même. Elle avait choisi cette route de son plein gré. Onze ans plus tôt, elle avait pris la décision qui l'avait amenée directement à ce point, et il était vain de revenir sur ce qui ne pouvait être changé.

Elle prit un bain délassant et revêtit un ensemble rose pâle. Après avoir ramené ses cheveux en chignon, elle se mit à relire ses notes, s'efforçant d'y trouver des signes encourageants pour donner un peu d'espoir à ceux qu'elle allait rencontrer.

Elle en était là de sa vaine recherche lorsqu'un coup de klaxon l'avertit que Carla l'attendait à la porte. Quand elle s'installa dans la Dodge brimbalante, l'éclatante rousse s'exclama :

– Tu es intimidante avec tes lunettes. Ah, tu as l'air soucieux ?

– Pour cause.

– Cela ne va pas marcher, n'est-ce pas ? Pourquoi construirait-on une usine ici ? Il y a des milliers de villes comme Emily. Qu'avons-nous que les autres n'ont pas ?

– Nous avons Cliff. Et des gens décidés à s'unir et à faire des sacrifices pour le bien de la ville. Au cours des dernières semaines on m'a répondu non de plusieurs façons. Pourtant, pas une seule fois je n'ai douté de notre succès final. Il suffit de trouver la compagnie intéressée.

– Dieu fasse que tu aies raison.

Elles arrivaient à cet instant à un parc de stationnement situé face à une construction de brique d'une couleur indéfinissable, entre le rose et le marron, dont le fronton s'ornait d'une enseigne à demi effacée où l'on reconnaissait tant bien que mal l'inscription *Salle Longhorn*, devenue avec le temps *Sal.. .ong.or.* Ce qui n'avait aucune importance, les habitants de la petite cité sachant parfaitement ce que c'était.

Daryl Warner, le père de Clif, avait fait construire l'établissement dans les années trente. Lorsque Cliff en avait hérité, il avait jugé inutile d'y faire des transformations, comprenant que le *Longhorn* était une institution à Emily et que les gens l'aimaient ainsi.

Lorsque Anne et Carla y pénétrèrent, il n'y avait que deux hommes, tous deux debout derrière le magnifique bar de cuivre et d'acajou. Frank, le gérant, petit et trapu, avait toujours l'air de chercher querelle à autrui tout en ayant un cœur d'or. Léon, son jeune frère, était considéré comme le videur officiel du *Longhorn*. Il était l'opposé de Frank, haut de près de deux mètres et pesant dans les cent kilos. Les gens faisaient attention à ne pas croiser son chemin, à cause de son aspect mais aussi parce qu'il avait passé quelques années en prison pour homicide involontaire.

D'une voix de fausset, il accueillit Anne, pour qui il éprouvait de la dévotion :

– Vous êtes bien jolie ce soir, mademoiselle Anne.

– Merci, Léon.

Puis elle se tourna vers Carla et lui demanda de l'aider à pousser quelques tables. Galamment, les deux frères protestèrent et s'en chargèrent sous sa direction.

– Quand je pense qu'ils ne lèveraient pas le petit doigt pour moi, grommela Carla. Ils ont tous les deux le béguin pour toi, c'est évident. Et moi, pauvre de moi...

Anne sourit à son amie qui aimait bien se faire plaindre. L'unique raison pour laquelle Frank et Léon n'essayaient même pas de lui donner un coup de main était qu'il savait qu'elle prendrait la mouche à la moindre allusion à sa faiblesse féminine. Connaissant le caractère entier de la jeune femme, ils n'avaient nulle envie de l'offenser!

Quand les tables furent arrangées au goût d'Anne, Carla y déposa des coupelles avec des amandes salées tandis qu'Anne disposait des copies de son rapport et vérifiait la bonne marche de son magnétophone. Elle ne prenait jamais de notes au cours de ces rencontres, car les participants avaient l'habitude de tous parler à la fois, criant plus fort les uns que les autres.

Une demi-heure plus tard, Cliff fit son apparition, accompagné du maire, M. Hilley. Le contraste entre les deux hommes était frappant. Cliff Warner, grand, mince, aux traits distingués, respirait l'aristocrate. Ed Hilley était un brave homme sans prétentions, né et éduqué à la campagne. C'était un excellent maire, à l'écoute de ses administrés.

Tandis que le maire trottinait vers le bar pour reprendre avec Frank le cours d'une discussion aussi passionnée qu'interminable, Cliff s'approcha d'Anne et la salua avec affection. Devant son air morose, Anne s'enquit :

– Vous êtes sans grand espoir?

– Nous y arriverons, Anne, j'en suis sûr. Mais qu'est-ce que je vais bien pouvoir leur dire pour les faire patienter? Je ne suis pas un magicien. Ils ont besoin de choses concrètes.

– Et vous n'avez pas de vraie réponse à leur problème, n'est-ce pas? intervint Carla.

Cliff lui sourit avant de répondre :

– Non. Je n'ai que des promesses et des possibilités à leur offrir. Il va falloir qu'ils s'en contentent.

Anne étudiait ses deux amis, intriguée par la réaction de Cliff. Jusqu'alors, elle n'avait pas remarqué qu'il s'animait dès que l'aimable rousse était près de lui. Allait-il finir par surmonter le choc de la mort de sa femme?

Ed Hilley s'approchait. Il aborda Anne avec la flatterie tumultueuse dont il usait toujours avec elle. Derrière son dos, Carla faisait des gestes de désespoir comique. Anne détourna son regard et se racla la gorge pour se retenir de rire. C'est à ce moment précis qu'un nouveau personnage pénétra dans l'établissement, s'arrêtant juste à l'entrée.

Le temps d'un bref instant, Anne ne ressentit rien. Puis le sang se retira de ses joues. Elle ne pouvait pas faire le moindre geste. Elle restait là, immobile, sans pouvoir détacher ses yeux du nouveau venu. Pourtant, au fond d'elle-même, elle savait qu'elle s'était toujours attendue à cette situation.

Même à une certaine distance, les traits de l'inconnu étaient remarquables. Irrésistibles. Il portait un jean délavé et un blouson d'aviateur fatigué. Son épaisse chevelure blond cendré était striée d'or clair, preuve d'une vie passée au grand air. Il était de complexion athlétique, tirant plus sur le coureur de fond que sur l'haltérophile. Le moindre de ses mouvements faisait souhaiter de l'avoir à ses côtés lors d'une bagarre.

D'où elle était, Anne ne pouvait distinguer la couleur de ses yeux mais, bien sûr, elle savait qu'ils étaient d'une riche couleur brun foncé. Des yeux qui pouvaient tout aussi bien réchauffer le cœur que glacer l'âme et, en ce moment même, la contemplaient avec une sombre intensité.

– Qu'est-ce qui ne va pas? s'inquiéta Carla. Tu trembles comme une feuille.

Ceux qui l'entouraient n'avaient pas encore remarqué la nouvelle présence et continuaient leurs conversations, qui lui parvenaient à travers un brouillard.

– Je parie que vous n'avez pas dîné, lui dit le maire. Un de mes cousins fait de même, il est hyperglaucomique.

– Quoi? demanda Léon. Il fait du catch?

– Mais non, c'est comme le diabète.

– Vous êtes deux idiots, intervint Cliff. Ed, tu veux dire hypoglycémique.

Ce disant, il se rapprocha d'Anne, l'expression préoccupée.

– Regardez comme elle est pâle, continua Ed Hilley. Cette petite a besoin de protéines. Frank, apporte un peu de lait.

Sans faire plus attention au maire, Cliff suivit le regard d'Anne. Lorsqu'il découvrit l'étranger, il ramena les yeux sur la jeune femme.

– C'est celui...

Sa voix se brisa net. Il fit un signe à Léon et lui ordonna :

– Dites à ce monsieur que le club est fermé au public. Demandez-lui de sortir.

– Bien sûr, monsieur Warner.

A ce moment-là, tous les assistants tournèrent la tête et s'aperçurent de l'intrusion. Ils observèrent Léon qui allait vers l'homme blond. En arrivant à sa hauteur, il lui parla à voix basse, mais, au lieu d'obtempérer, l'inconnu fit un pas en avant. Léon le prit par le bras et, d'une secousse, il s'en débarrassa, puis continua à avancer. Le colosse le rattrapa par l'épaule et lui fit faire demi-tour. A la surprise générale, l'étranger mit la main sur Léon, habitué à intimider par sa seule présence, et, sans effort, le repoussa.

Frank, voyant son frère en mauvaise posture, cria :

– Hé, qu'est-ce qui se passe?

Puis il sauta par-dessus le comptoir et courut vers les deux antagonistes.

– Allez-vous filer, sinon j'appelle la police!

La réponse du nouveau venu, inintelligible pour les autres, ne fut en tout cas pas du goût de Frank, dont le visage devint cramoisi.

En une seconde, la bagarre se déclencha. Frank lança son poing en avant, que l'homme aux cheveux blonds intercepta avant de se retourner vers Léon qui venait vers lui, une chaise levée au-dessus de sa tête. Il l'évita avec agilité et lui plaça un uppercut au creux de l'estomac. La chaise alla heurter le juke-box, tandis que le géant se pliait en deux. L'appareil se mit en marche sur un rock endiablé.

Lorsque Anne vit la lueur d'amusement dans les yeux du beau garçon blond, elle ressentit la même émotion que le jour où elle l'avait connu, il y avait vingt-trois ans.

Quand, l'instant d'après, le sang perla sur sa lèvre ourlée, elle secoua ses souvenirs et se tourna vers l'ami fidèle.

– Cliff, supplia-t-elle, tout cela est inutile. Dites-leur d'arrêter.

Frank, qui se cramponnait tant bien que mal au bar, frottait sa mâchoire, mais Léon s'était remis debout et essayait d'attraper son ennemi en ahanant.

– Léon! l'interpella Cliff. Cela suffit.

A contrecœur, le boxeur frustré obtempéra. L'étranger regarda Cliff des pieds à la tête, avec un temps d'arrêt sur sa cravate de grande marque.

– Vous êtes très à cheval sur la tenue par ici,

gouailla-t-il. La prochaine fois, je viendrai en smoking.

Personne ne fit écho à ses paroles, mais tous l'observaient attentivement. Lui n'avait d'yeux que pour Anne tandis qu'il traversait la pièce en essuyant sa bouche blessée.

Arrivé à la hauteur de la jeune femme, il stoppa et lui adressa un large sourire.

– Bonsoir, Anne. Il y a bien longtemps que nous nous sommes vus.

3

RETENANT son souffle, Anne ne fit pas le moindre geste et soutint son regard. *Max.* Il était là, à quelques centimètres d'elle.

Mille fois, elle avait rêvé de cette rencontre. A cet instant, comme dans ses rêves, ses pensées étaient si confuses qu'elle ne savait quelle attitude prendre. En elle, le chagrin, les regrets et le désir ardent se mêlaient en volutes grises. Toutefois, deux émotions contraires prédominaient : la joie et la peur.

– Anne?

Distraite par cet appel, elle leva les yeux sur Cliff, qui se tenait à ses côtés, le visage soucieux.

– Cliff, annonça-t-elle, je vous prie de m'excuser. Quelqu'un pourrait-il débrancher le juke-box? Je vous présente Max Decatur. Max, Cliff Warner, pour qui je travaille; voici mon amie Carla Angelo, le maire d'Emily, M. Hilley...

Max eut un sourire et un mouvement de la tête pour tous ceux qui lui étaient présentés et qui le regardaient avec des degrés divers de curiosité.

– Quant à Frank et Léon Carter, je crois que tu as déjà fait leur connaissance.

Max fit un signe de la main. Léon y répondit par un borborygme, poussé à travers la serviette dont il se tamponnait le nez. Sans faire de commentaire, Frank s'en alla en boitant vers le juke-box qu'il débrancha.

Max ne quittait toujours pas Anne des yeux, tandis que les spectateurs de cette scène ne cessaient de le dévisager.

Rejetant une mèche qui lui tombait sur le front, Anne s'éclaircit la voix et commença :

– Je crois que nous pourrions... Frank, est-ce que la petite salle est en ordre?

Le barman fit un signe d'acquiescement.

– Max, reprit Anne, nous pouvons y aller, si tu souhaites...

Elle avala sa salive pour faire passer le nœud qui se formait dans sa gorge.

– ... que nous ayons un entretien, termina-t-elle.

– Avec plaisir, approuva Max.

Au bout du couloir faiblement éclairé, il suivit Anne dans une pièce exiguë. Elle donna la lumière et se tint immobile, le dos tourné vers Max.

Elle avait toujours su que ce moment arriverait, et elle s'y était préparée. Ses mains étaient moites, sa bouche sèche, et son cœur battait à l'étouffer.

« Nous y sommes, se dit-elle. Je survivrai, que je le veuille ou non. »

Reprenant sa respiration, elle se retourna.

Il était appuyé contre le chambranle de la porte et la contemplait avec une telle intensité qu'elle sentit ses joues se colorer.

Il fit un pas en avant et répéta :

– Bonsoir, Anne. Annie.

Faisant involontairement un pas en arrière, la jeune femme ouvrit la bouche pour parler et secoua la tête en un geste d'impuissance. Il y avait tant de choses qu'elle voulait exprimer, qu'elle avait besoin de dire. Elle avait répété le scénario dans son esprit un si grand nombre de fois, imaginant en détail les mots qu'elle prononcerait et la réaction qu'il aurait. Et maintenant, alors que la pièce allait se jouer, elle avait tout oublié. Tout ce qu'elle était capable de faire était de le regarder, fascinée, s'avancer vers elle.

– Bonsoir, Annie.

Non, cela ne devait pas se passer comme ça. Elle n'avait pas supposé un instant qu'elle pourrait être agacée par l'ami-amant qui hantait ses jours et ses nuits.

– Veux-tu cesser de dire bonsoir, Annie, comme...

Sa voix se brisa. En une seconde, il l'avait rejointe et prise dans ses bras, la serrant contre sa poitrine dure. Il l'embrassa sur les cheveux en disant :

– Je ne peux y croire. Annie. Ma petite Annie aux yeux de tourterelle. C'est incroyable. Te rencontrer de cette façon. Je suis arrivé tout à l'heure, je cherchais un restaurant... Quel heureux hasard. Il y a onze ans que je ne sais rien de toi, et te voilà. Ce fut...

– Max. *Max* !

Se glissant hors de l'étreinte virile, Annie s'écria :

– Qu'est-ce que tu as ? Pourquoi ne tentes-tu pas de m'étrangler ? Pourquoi ne cries-tu pas en me traitant des pires adjectifs ?

Max rit doucement, montrant sa fossette si sensuelle.

– Tu es toujours la même, riposta-t-il. Prête à faire face à la situation, aussi effrayée sois-tu.

– Avec une seule exception de taille.

– C'est cela qui te contrarie ? Il y a si longtemps et la vie est trop courte pour cultiver des rancœurs.

Il sauta sur la table et s'y assit, les jambes ballantes.

– Nous avons grandi ensemble, reprit-il, Ellie, toi et moi. Nous étions comme une famille. Nous avons toute une histoire, petit fille. Il n'y a rien qui puisse aller contre cela.

– Mais...

La phrase d'Anne s'arrêta net quand il lui sourit. Alors toutes les pensées et tous les doutes furent emportés par un flot de chaleur. Comment résister à ce sourire ? Elle en avait été privée pendant onze longues années, et peu lui importait ce qui arriverait dans un jour ou dans une heure. Pour l'instant, elle était près de cette flamme.

« Je vous en prie, mon Dieu, laissez-le-moi encore un peu. »

– C'est extraordinaire, reprit Max. J'ai vu Ellie il y a quelques mois et nous avons passé la soirée à parler de toi et à nous demander ce que tu étais devenue. Tu te souviens, quand j'étais le prince charmant et Ellie, la reine des sorcières. Tu étais Blanche-Neige. Elle t'avait attachée et laissée dans la cabane à outils ? Après, elle avait oublié où elle t'avait abandonnée et nous avons passé tout l'après-midi à te chercher. Je devenais fou, t'imaginant morte de peur. Quand nous avons fini par te trouver, tu chantais. Ficelée comme un saucisson, mais la voix claire et fraîche.

Anne éclata de rire.

– Il y a des années que je n'y pensais plus.

L'incident n'avait pas tellement compté pour elle. Même si elle avait été effrayée, elle n'avait pas douté un seul instant que Max parviendrait à la trouver. Il la trouvait toujours.

– Tu étais hors de toi, commenta-t-elle, hurlant et donnant des coups de pied contre le mur. J'ai bien cru que tu allais frapper la pauvre Ellie.

– C'est ce que j'aurais fait si elle n'avait pas soudain fondu en larmes. C'est alors que j'ai compris qu'elle avait eu aussi peur que moi. Tu étais si petite, si fragile. Mon Dieu, quelle joie de te revoir, petite fille. Tu sais, il me semble que je t'ai vue la semaine dernière à San Antonio.

Anne retint son souffle.

– J'étais effectivement à San Antonio. Tu y étais aussi ?

– C'était donc toi ? Comme c'est étrange, toutes ces années sans se voir, et voilà, deux fois dans la même semaine.

« Du calme, se dit Max. N'oublie pas ce qui est en jeu. »

La tenir si proche l'avait bouleversé un moment. Il s'était répété mille et mille fois qu'il l'embellissait dans son imagination, bien plus que ce qu'elle était en réalité. Aucune de ses fantaisies cependant, ni aucun de ses songes éveillés ne lui rendait justice. Aucun ne s'approchait de la réalité.

L'émotion qu'il avait ressentie dans une rue quelconque de San Antonio était multipliée par la proximité d'Anne et cela rendait les choses plus difficiles. Il devait s'obliger à se rappeler que, cette fois, c'était lui le maître de la situation. Il n'y aurait pas de surprises.

– C'est le destin, conclut-il. Le temps est venu pour tous les trois d'être réunis. Ellie sera folle de joie quand je lui dirai que je t'ai rencontrée. Tu as toujours été une sœur pour elle, bien plus que les deux chipies qui sont de son sang. Tu lui as vraiment manqué, Annie.

Sans réfléchir, il l'attira vers lui et l'installa entre ses cuisses. Il se rendit compte immédiatement de son erreur. Sur les hanches arrondies, ses mains tremblèrent. Une légère transpiration naquit sur sa lèvre supérieure.

Il fit un mouvement pour s'éloigner d'elle et se laissa tomber de la table. En se dirigeant vers la porte, il lança par-dessus son épaule :

– Pardonne-moi de te retenir. Je crois que tu es occupée. Êtes-vous en train de préparer une partie de chasse... ou est-ce une réunion d'agents secrets ?

– Oh, Max, je suis désolée de la conduite de Frank et de Léon. Ce sont de braves garçons, tu sais. Cliff s'est trompé, enfin, je veux dire, il n'a pas compris quelles sont nos relations.

– Vraiment ?

Max pinça les lèvres en une ébauche de sourire. Cliff n'était pas le seul à ne pas comprendre. Anne elle-même n'avait rien compris.

La jeune femme ne le quittait pas des yeux et fut soulagée quand il se retourna en riant :

– Ce qui m'a impressionné, ce n'est pas la bagarre, mais le lourd silence à mon entrée. Je vais te laisser maintenant. Nous nous verrons plus tard. Je loge à la pension...

– *Hufstedler*, chambre 10, termina Anne.

Elle sourit devant l'expression d'incrédulité de Max.

– Rassure-toi, expliqua-t-elle, je ne suis pas devenue voyante extralucide. Il s'agit du seul hôtel de la ville et Joe Mack, le propriétaire, réserve la chambre 10 pour les clients inhabituels.

– Est-ce que c'est la chambre du crime, comme dans l'*Auberge rouge ?*

– Non. La moquette est presque neuve et, ne te connaissant pas, Joe Mack pense qu'il faut t'impressionner.

– Je vois.

– Max, attends. Tu ne m'as pas dit pourquoi tu étais ici. A Emily.

– Je cherche des visages.

Et, aussi brusquement qu'il était apparu, il disparut.

– Qu'espères-tu rencontrer au bar d'un hôtel de province? Un représentant de commerce. Eh bien non, pas elle. Pas Diane Harper. Elle y trouve un superbe athlète. Il a reçu un coup sur la tête et ne se souvient plus qu'il est le président de la compagnie d'électronique la plus importante du monde et non un serveur qui a besoin d'une bonne coupe de cheveux et... Je me demande vraiment comment je peux perdre mon temps à regarder ces idioties à la télévision...

Carla bavardait sans cesse en raccompagnant Anne. La jeune femme entendait les mots sans en saisir le sens. Il en était allé de même pendant la réunion. Elle supposait que l'exposé de Cliff avait été brillant, mais n'aurait pu en jurer. Alors, comme à présent, son esprit était ailleurs.

– D'ailleurs, reprit Carla, ces séries sont invraisemblables. Figure-toi que le chirurgien esthétique, qui est en fait la princesse Sophie von Leinsdorf sous une fausse identité, parle avec un accent populaire à faire frémir.

Presque une minute s'écoula avant qu'Anne se rendît compte que Carla avait arrêté de parler.

– Pardonne-moi, j'avais l'esprit ailleurs. Tu disais?

– Tu n'as pas écouté un mot de ce que je disais. Tant pis. M'invites-tu à prendre un café?

Elles s'installèrent dans la coquette cuisine. Bien calée sur sa chaise, la flamboyante rousse attaqua :

– J'ai été très patiente, tu dois le reconnaître. Mais trop, c'est trop. Je te préviens, je veux des réponses à mes questions. Anne, parle-moi.

– Comment puis-je te parler, Carla, alors que je suis incapable de penser? Dans ma tête, il y a comme un tourbillon d'images, de sons, d'idées folles.

– Je ne t'ai jamais vue comme cela. Tu es...

– Vivante? coupa Anne. Carla, j'étais dans un endroit désolé, glacé. Je sors du tunnel. Il fait chaud, tout brille...

– Bizarre, interrompit la copine rousse.

Échappant aux yeux interrogateurs de Carla, Anne mit en marche la cafetière électrique. Quand elle se sentit un peu calmée, elle se décida à s'exprimer :

– Tout à coup, je suis comme réveillée d'un cauchemar. Depuis onze ans, je vivais comme un chien battu, recherchant l'ombre, effrayée de faire un pas en avant. La peur que quelqu'un me remarque et me fasse encore du mal.

– Qui t'a maltraitée en premier?

– La destinée. La vie. Les circonstances, que sais-je? La vie s'est retirée de moi. Je savais rire aux éclats et crier, Carla. Et j'avais des émotions éblouissantes. Comment ai-je pu laisser tout cela s'évanouir?

– Pourquoi me le demandes-tu, à moi ? s'ébahit Carla. Ou plutôt, que veux-tu de moi ?

Un long moment, les deux femmes restèrent silencieuses, côte à côte, regardant le récipient de verre se remplir du noir breuvage. Enfin Carla, croisant ses bras sur sa poitrine, rompit le silence :

– Bien. Donc, tu renais à la lumière, etc. Cette résurrection m'amène à te poser une question essentielle. Qui est Max ?

– Qui est Max ? Qui est *Max* ?

Prenant son amie par la main, Anne l'entraîna à sa suite jusqu'à son petit bureau. En allumant la lumière, elle commenta :

– Je vais te montrer qui est Max.

Montrant d'un geste large la bibliothèque qui couvrait tout un mur, elle s'écria :

– Voilà Max.

Interdite, Clara ne put que murmurer :

– C'est un libraire ? Un menuisier ? Tu ne pourrais pas être un peu plus explicite ?

Anne fit un pas en avant et précisa :

– Il est là, sur cette étagère.

Carla sortit un livre de la rangée et l'ouvrit. Dès la première image, elle siffla entre ses dents :

– Terrifiant. Je n'ai pas le courage de regarder des photos de guerre. C'est l'Afghanistan ? Est-il correspondant de guerre ?

Anne ne répondit pas et Carla poursuivit sa lecture, se laissant peu à peu séduire par les images contenues dans le mince volume. Après un moment, elle s'exclama :

– L'homme qui fait ceci n'est pas seulement un reporter, c'est un artiste. Mais quel est l'art qui peut prendre la souffrance humaine comme modèle?

A nouveau Anne garda le silence. Elle voulait que Carla tire ses propres conclusions de l'œuvre de Max. Pendant de longues minutes, on n'entendit plus dans la pièce que le bruit des pages tournées. Enfin, avec un long soupir, Carla conclut :

– Je me suis trompée, au début. Il faut voir l'ensemble. Cette juxtaposition de brutalité primaire et de beauté renaissante contient un message. L'espoir, n'est-ce pas?

Elle regarda Anne droit dans les yeux. N'obtenant toujours pas de réponse, elle reprit :

– C'est bouleversant et cela mérite bien mieux qu'un coup d'œil. Que tu le veuilles ou non, tu te sens remuée jusqu'au fond de l'âme.

Lui prenant le livre des mains, Anne le retourna pour lui montrer la photo de Max qui figurait sur la quatrième couverture. Levant les yeux sur le rayonnage où étaient alignés plusieurs albums et de nombreux magazines, elle demanda :

– C'est tout ce qu'il a fait?

– Presque tout est là, répondit Anne.

Elle prit une revue et sourit quand elle s'ouvrit à la page qu'elle souhaitait.

– Celle-ci a été prise par quelqu'un d'autre, expliqua-t-elle.

En plein milieu, une Harley-Davidson. Sur la

droite, presque en dehors de la photo, se tenait une très belle femme brune. Son allure était éminemment sensuelle, mais il y avait dans ses yeux noirs une lueur d'espièglerie enfantine, comme si elle était sur le point d'éclater de rire. Chevauchant le monstre d'acier, un Max plus jeune, les pieds fermement plantés sur l'asphalte. Il était vêtu de cuir noir mais, plus que le vêtement, c'était la détermination de son visage qui retenait l'attention. Une femme ne pouvait pas être insensible à la force et à la sensualité virile qui se dégageaient de cet homme.

Carla fit un geste comique de la main, comme pour s'éventer.

– Il commence à faire très chaud ici. A propos, cette femme..., je l'ai déjà vue. Élise je-ne-sais-quoi. C'était un mannequin célèbre il y a quelques années ; elle était la muse des plus grands couturiers.

– Élise Bright, confirma Anne. Cette étagère, au-dessous de celle de Max, est celle d'Ellie.

– Ellie ?

Anne s'éloigna de la bibliothèque avant de répondre :

– Nous avons grandi tous les trois ensemble. Nous étions tout l'un pour l'autre. Le père d'Ellie vivait dans un monde à part. La tante de Max, sa tutrice légale, détestait son neveu. Quant à ma propre mère, elle ne voyait en moi qu'une gêne. Il n'y avait ni tendresse ni affection entre nous. Je ne me rappelle pas qu'elle m'ait jamais donné un baiser. J'aurais dû devenir une enfant inadaptée. Mes amis m'ont sauvée. Ellie, Max et Annie. Nous ne faisions qu'un. Les doigts d'une même main.

Elle fit une pause, soupira profondément et poursuivit :

– A présent, Ellie est riche et célèbre, comme elle le voulait depuis toujours. Max a parcouru le monde et est devenu l'un des meilleurs photographes du pays, comme il se l'était promis.

– Et Annie? Qu'est-ce qu'elle voulait être?

– La femme de Max.

Étonnée, Carla leva un sourcil interrogateur.

– C'était ta seule ambition?

– Cela te surprend, sourit Anne. Toi, mon amie militante, tu m'aurais fixé un but plus élevé, plus en accord avec la dignité de la femme. Pour moi, vois-tu, ce n'était pas seulement un but, c'était aussi ma seule raison de vivre. Il me semblait que Dieu ne m'avait créée que pour aimer Max.

Carla regarda ses mains un instant, puis leva les yeux sur Anne.

– Je regrette qu'il n'en ait pas été ainsi pour toi. Si tu l'aimais tant... Et il te fait toujours autant d'effet. Quand tu es revenue parmi nous, après avoir parlé avec lui, on aurait dit que tu venais de recevoir la maison sur la tête. Oui, je regrette bien que tu n'aies pas épousé ton Max.

Anne se détourna et marcha vers la fenêtre. Le regard perdu dans l'obscurité, elle déclara :

– Mais oui, je l'ai épousé.

4

Carla resta sans voix. Elle ouvrit la bouche, mais aucun son n'en sortit. Elle se laissa enfin tomber dans un fauteuil de cuir et parvint à articuler :

– Tu l'as épousée? Tu étais mariée avec lui?

– Ne reste pas bouche bée.

Obéissante, Carla serra les lèvres. Mais pas pour longtemps. Embrassant Anne du regard, elle s'exclama :

– Je ne pouvais pas savoir que tu étais si intéressante.

– Je te demande pardon?

– Tu me comprends. Tu vivais comme une carmélite et, pendant tout ce temps, lui existait dans ton passé. *Lui*. A propos, depuis quand ne l'avais-tu pas revu?

– Onze ans.

Anne répondit d'une façon distraite. L'euphorie qui l'habitait depuis le début de la soirée commençait à se retirer et la confusion s'emparait peu à peu de son esprit. La voix blanche, elle se confia à son amie :

– Il devrait me haïr, Carla. C'est ce que j'attendais. Ce à quoi je m'étais préparée. Je pensais que, lorsque nous nous retrouverions, car je n'ai jamais douté de le revoir, les choses seraient différentes. Je pouvais prévoir sa fureur. Son mépris et sa haine. Mais il s'est conduit comme si rien ne s'était passé entre nous, comme si nous étions deux amis qui se retrouvent après une longue séparation.

Jusqu'alors Carla fixait le mur. Au ton d'Anne, elle tourna la tête et dit :

– Pourquoi ai-je l'étrange sensation que cela te déplaît ?

D'une voix peu convaincante, même pour elle, Anne répliqua :

– Je suis contente. Ce que j'avais pensé, ce que je me disais... Quand il m'aurait châtiée, quand j'aurais payé pour mon crime... Ne me regarde pas comme ça, je ne suis pas devenue masochiste. Vois-tu, il y a onze ans, je ne lui ai pas laissé le temps de réagir, j'ai fui. Bien qu'il ne semble pas souhaiter une vengeance, le mal est toujours là.

Captant un regard sceptique de son amie, elle reprit :

– Non, je ne suis pas une sainte. J'imaginais que, s'il prenait sa revanche, tout serait oublié.

Avec douceur, la jolie rousse la rassura :

– Je ne sais pas ce que tu lui as fait, mais, si tu

crois que tu ne l'as pas payé assez cher, tu es toquée.

Anne secoua la tête.

– Ce n'es pas suffisant. La vie austère que je me suis imposée n'était pas pour lui donner satisfaction. L'équité exige que je lui paie directement ma dette.

– Tu veux dire qu'il t'a dupée. Il t'a empêchée de retrouver la paix de l'esprit. S'il t'avait traitée de tous les noms, tu aurais pu refaire ta vie. Alors qu'ainsi, il te rend coupable à tout jamais. Joli coco.

Au comble de l'agitation, Anne se leva :

– Non, non. Il ne le fait pas exprès. Max n'est pas comme ça. Il a réussi tout simplement là où j'ai échoué. Il a donné au passé sa juste place. Il était vraiment enchanté de me revoir.

Prenant entre ses mains ses joues brûlantes, elle ferma les yeux.

– Tout cela m'échappe encore, Carla. Il y a quelques heures, cet après-midi, j'étais assise sur ma terrasse, en train de méditer...

– Hé! hé! je vais perdre le fil, protesta Carla.

– Non. Je me représentais mes jours et mes nuits, et mes saisons qui s'en allaient à vau-l'eau. Les regrets du passé, la tristesse de ne pas avoir d'enfants.

– Ne continue pas, je connais, mais j'ai la chance d'avoir un enfant. A propos, cet après-midi, quand j'étais ici avec Peter, ton vague à l'âme? C'était Max?

Anne fit un signe imperceptible de la tête et alla s'asseoir sur le coin de son bureau.

– Toute ma vie, murmura-t-elle, toute ma vie, je n'ai fait que penser à Max.

Elle prit une profonde aspiration et, d'une voix plus claire, énonça :

– Il est revenu, Carla. Max est à nouveau dans ma vie. Tant pis si c'est par un hasard extraordinaire. Tant pis si...

Elle fit un effort pour avaler sa salive et put terminer :

– S'il ne me considère que comme une amie d'enfance.

Un coup de poignard traversa son crâne. Amie d'enfance ?

« *Tu n'es qu'une prostituée, comme ta mère.* »

L'air lui manqua soudain et la pièce parut se rétrécir. Elle s'obligea à secouer la tête et, avec un effort presque physique, repoussa les vieilles peurs.

– Ce qui compte, c'est qu'il soit de retour. Un jour où l'autre, je sais qu'il me dira que je suis pardonnée.

Carla quitta son fauteuil et vint près d'elle pour mieux l'observer.

– Es-tu bien certaine, s'inquiéta-t-elle, de vouloir remuer tout ce passé que tu avais relégué ? Ne peux-tu considérer le pardon comme acquis ?

Plongeant ses yeux dans ceux de son amie, Anne insista :

– J'ai besoin d'entendre les mots, Carla. Et de voir son visage quand il les prononcera.

– Et s'il ne les dit pas?

– Je suppose que je devrai l'y obliger. Il dira qu'il me pardonne ou bien il devra admettre qu'au fond de lui, il est toujours irrité.

Carla fit un pas en arrière et s'exclama :

– Allons, je suis avec toi. Dans la joie et dans l'adversité. C'est ce qu'il y a de bien entre nous. Notre meilleure amie est à portée de la main.

Elle s'étira voluptueusement et continua :

– Tu te sens mieux? Si tu veux, je reste. Nous pouvons bavarder, regarder la télévision, écouter de la musique. Ou encore, essayer de nouvelles coiffures. Ou, tout simplement, nous enivrer!

Mise en gaieté, Anne rétorqua :

– Je vais très bien. File retrouver ton petit garçon.

Après avoir refermé la porte sur Carla, Anne retourna dans son cabinet de travail. Elle remit les livres et les magazines à leur place. Subitement, son regard se fixa sur son bureau.

Là, dans un des tiroirs, elle avait rangé un album qu'elle avait négligé de montrer à Carla. Elle l'avait enfermé pour ne pas être tenté de le regarder. Cette fois, elle s'y décida. Elle ouvrit le tiroir et en sortit une solide revue de grand luxe, à la couverture glacée où se voyait une photo de Max avec ce titre : *A la découverte de Max Decatur.*

Quand elle s'assit et posa la publication sur ses genoux, celle-ci s'ouvrit automatiquement aux pages consacrées à Max. La première était un panégyrique d'un génie de l'art qui, pour Anne, ne ressemblait guère à Max. Les suivantes retraçaient sa carrière. On le voyait même, bien pris dans un smoking de coupe impeccable, recevoir un prix glorieux des gracieuses mains d'une souveraine. Celle qu'Anne préférait le montrait riant aux éclats avec un adorable enfant-dieu tibétain.

Anne referma le luxueux cahier. Elle n'avait pas besoin de voir ce qui suivait. Elle ne le savait que trop bien. Toutes les photos qui y figuraient étaient l'œuvre de Gina Reynolds. Dans les années soixante, Neal Reynolds, le mari de Gina, était un des plus célèbres photographes du monde. Max avait fait son apprentissage dans son ombre. Onze ans plus tôt, Anne lui avait été présentée. Ainsi qu'à Gina.

Ils donnaient une réception et Max avait insisté pour qu'elle l'y accompagne. Dès l'entrée, elle avait compris qu'elle n'était pas à sa place dans ce monde brillant et artistique. Elle n'était encore qu'une petite fille. Mais, quand elle s'était trouvée face à Gina, plus âgée qu'elle d'une quinzaine d'années, elle avait compris immédiatement que cette femme dangereusement attirante ne voulait qu'une chose : Max.

– Ah oui, elle en avait envie! soupira-t-elle.

Elle rouvrit le magazine un peu plus loin. Les photographies en pleine page semblaient une intrusion dans la vie privée de Max. L'article expliquait qu'elles avaient été prises sans que le sujet le sût ou y consentît, ajoutant que Max était soucieux d'être connu pour son travail et non pour ce qu'il était. Gina avait vendu ces photos quelques années après les avoir prises et, avant que la revue ne vît le jour, Max avait disparu dans la jungle cinghalaise.

La première montrait un profil solitaire contre un ciel africain fulgurant. La solitude et la douleur inscrites dans ces traits qu'elle connaissait si bien serrèrent la gorge d'Anne. A la page suivante, il était seul à nouveau. En pied. Il était devant une chute d'eau. La tête renversée et les mains en coupe, il se rafraîchissait. Sa poitrine était nue et son jean, bas sur ses hanches, laissait voir son ventre plat. Des milliers de gouttelettes brillaient au soleil avant de s'écraser sur sa peau bronzée. Cette vision la remua autant que l'autre, mais pour des raisons différentes.

Se levant brusquement, elle courut à la terrasse. Se penchant vers la rivière pour en humer le parfum vivifiant, elle tenta de se raisonner. Il en fallait pas qu'elle se fasse d'illusions. Tout n'allait pas recommencer entre eux. Une certaine nuit, onze ans auparavant, elle avait pris bien soin de rendre cela impossible. Mais, même si elle n'arrivait jamais à lui faire comprendre les motifs de sa mauvaise action, il devait lui pardonner. Il ne l'aimait plus et, apparemment, la blessure qu'elle lui avait infligée n'était plus qu'un souvenir pour lui. Max avait toujours été généreux. Tôt ou tard, il lui dirait les mots qu'elle attendait.

Elle mit ses bras autour de son corps pour calmer son excitation. Max était là et tout irait bien.

Lentement, elle rentra dans sa maison.

Elle ne serait plus jamais le grand amour de Max. Pourtant, elle pourrait être son amie. Sa famille.

Le jour suivant, Anne vit Max trois fois, de loin. Chaque fois, il se contenta de lui faire un salut chaleureux de la main en criant :

– Annie!

La première fois, elle se réjouit, puis elle réalisa que cette nouvelle relation, distante, risquait fort de devenir la norme.

Jusqu'à l'âge de dix-huit ans, elle avait Max. Pour toujours. Ensuite, plus de dix années sans lui. Pour toujours, semblait-il. A présent, il était là, mais il ne lui appartenait plus. Elle en était toute désorientée. Dans le passé, elle avait eu tout ou rien. Elle n'avait pas encore appris à n'avoir qu'un peu.

Ce même soir, après dîner, elle s'installa près de son téléphone, sûre d'avoir un appel de lui. L'appareil resta muet.

Il est certainement occupé, se dit-elle. A la recherche de visages. D'un autre côté, il attendait peut-être qu'elle lui téléphona. Elle était sur son territoire. Elle devrait l'appeler et lui proposer de lui faire faire le tour de la ville et lui présenter les habitants d'Emily.

Elle souleva le combiné, marqua les trois premiers chiffres de l'hôtel et, instantanément, raccrocha avant d'enfoncer les mains dans les poches de sa robe de chambre. Max n'avait jamais été timide. S'il avait besoin d'aide, il l'appellerait.

Avec un geste d'agacement, elle tourna le dos au téléphone muet et se mit au lit. Pendant des heures, elle se tourna et retourna sur sa couche solitaire. Vaincue enfin, elle céda à un sommeil lourd.

L'obscurité était totale et, comme une fumée âcre, envahissait les narines et la gorge d'Anne qui pensait étouffer.

Elle pensait que l'ombre était aussi puissante que la peur. Elle compris d'emblée que les ténèbres étaient la peur.

De loin, de très loin, comme de longs doigts décharnés, le vide l'appelait et l'attirait à lui.

Liée par la terreur, elle voyait venir la fin. Elle allait être asphyxiée. Abandonnée à la nuit implacable, elle serait broyée vive par le vide.

Alors, de très loin, lui parvint la voix :

« Courage, Annie. Tout va s'arranger. »

C'était comme un miracle. Ces mots, venus d'au-delà du désespoir, devaient la délivrer du maléfice.

« Ne reste pas là, Annie, viens avec moi, là où tout n'est que clarté et chaleur. Suis-moi, Annie. La vie est avec moi. Tu n'as qu'à me suivre. »

Du fond de l'abîme, elle cria :

« Je ne peux pas. Où es-tu? Où es-tu? »

Quand elle reprit conscience, Annie était assise sur son lit, ruisselante de sueurs froides. Peu à peu son souffle redevint normal tandis qu'elle fixait les rayons de lune qui inondaient sa chambre. Une fois de plus, le cauchemar familier la laissait exténuée. Elle savait pourtant qu'il n'existait aucune obscurité impénétrable ni vide vorace, pas plus que de voix rassurante.

Elle se leva, se défit de sa chemise de nuit, ramena ses cheveux en queue-de-cheval, passa un jean et un confortable pull-over et sortit de chez elle pour aller vers la rivière. Sa vieille amie.

L'air était encore glacé et la rosée recouvrait l'herbe d'argent. Debout sur la rive, Anne regardait la lune disparaître dans le premier embrasement du soleil. Cette beauté, journellement renouvelée, la fascinait. Peu à peu, la ligne foncée des arbres s'illuminait jusqu'à ce que l'éclat l'atteignît elle-même.

Non loin d'elle, une ombre s'anima et devint un homme en pantalon kaki et blouson fatigué.

– Max, murmura-t-elle, tu m'as fait peur.

– Mauvaise conscience?

Avant qu'elle ait pu répondre, il poursuivit :

– J'avais l'impression que tu allais adorer quelque dieu de la nature, et j'ai préféré t'interrompre avant que tu poursuives le rituel. Je ne sais pas, te mettre nue ou quelque chose comme ça.

Anne ne put s'empêcher de rire :

– Mon amour de la nature n'est tout de même pas aussi exagéré!

Jetant un coup d'œil alentour, elle s'enquit :

– Je n'ai pas entendu le bruit de moteur. Comment es-tu venu?

Du menton, Max désigna un point au loin et expliqua :

– J'ai loué une cabane par là.

– Une cabane? Ne me dis pas que tu t'es laissé avoir par Billy Loomis? C'est un trou à rats!

– Mais non. Je voulais être au bord de la rivière. C'était donc la villa Loomis ou le sac de couchage.

– Tu avais l'air très occupé hier. Où en est ta recherche de visages intéressants? Tu te plais à Emily?

– Il faut s'y faire. Ils ont construit une sorte de mur invisible autour de leur ville et tout ce qui se passe au-delà ne les atteint pas. Bien sûr, ils en entendent parler, mais la chute des cours à Wall Street les affecte moins que de voir la camionnette de Fred garée devant la maison de Rita, le vendredi soir. Oh! je suppose qu'il en est de même dans toutes les petites villes. En tout cas, c'est tout ce que je souhaite.

– C'est-à-dire?

– Lorsque la presse ou la télévision veulent illustrer la crise, elles montrent des cadres ou des ouvriers frappés par le chômage. Il s'agit toujours de gens qui vivent dans des grandes cités. Je veux appeler l'attention sur ce qui arrive aux habitants d'une petite ville frappée par la récession. La fermeture de l'aciérie est un drame pour Emily, amplifié par le fait que ce n'est pas seulement vous qui êtes touché, mais aussi votre voisin, votre cousin ou celui avec qui vous prenez un verre le samedi soir.

Max fit une pause et frotta pensivement sa joue ombrée de barbe fauve.

– C'est, reprit-il, la communauté la plus unie que je connaisse. Ils savent tous, évidemment, que je suis un de tes amis. Et ils ne font pas beaucoup d'efforts pour cacher l'estime qu'ils ont pour toi. Ce sont de braves gens.

Ce n'était qu'une remarque innocente, mais quelque chose dans le ton troubla Anne.

– Max, commença-t-elle, tu connais le monde entier. Tu as mené une vie passionnante et tu as rencontré des gens fascinants. Emily n'est pas... Non, ce n'est pas ça.

Elle secoua la tête et reprit :

– Tu m'as dit que tu cherchais des visages. Ces gens sont plus que de simples faces. Ils ont un cœur et une âme. Ces gens vont t'accueillir, Max. Ils t'inviteront chez eux et te parleront à cœur ouvert de leur pauvreté. Ils te montreront les armoires vides et les factures qui s'accumulent. Ils ne penseront pas à ce que tu pourras faire de leurs portraits. Ils ne sauront pas que leur innocence naturelle pourrait être interprétée comme de l'arriération mentale dans le reste du monde. Ils seront peut-être étonnés que l'on puisse s'intéresser à eux mais n'en tireront qu'une fierté infantile. Ils achèteront le magazine et le montreront à leurs amis. Ils ne sauront jamais ce que le monde pense d'eux, mais moi, Max, je le sais, et j'enragerai pour eux.

De longues minutes de tension s'écoulèrent avant que Max ne tourne la tête vers Anne. Ses lèvres frémissaient d'un étrange sourire, comme s'il s'amusait de quelque chose que lui seul pouvait voir.

– Tu crois que je serais capable de faire cela? interrogea-t-il. Que je pourrais les présenter sous un tel jour?

Elle secoua les épaules, incapable de répondre. Elle pouvait seulement le regarder en silence.

– Bien, conclut Max, je dois partir. A bientôt, Annie.

Elle le vit partir avec un sentiment grandissant de peur. Elle fit un pas derrière lui et doucement appela :

– Max. Attends. Max..., *attends-moi!*

Alors elle se mit à courir pour le rattraper, comme elle l'avait fait tant de fois dans son enfance. Il fallait qu'elle le rejoigne avant qu'il disparaisse.

Quand elle le saisit par le bras, elle était à bout de souffle.

– Max.

Il s'arrêta et baissa les yeux sur elle. Même à cet instant, aucun signe de colère ne marquait ses traits. Il avait tout bonnement l'air intrigué.

Luttant pour retrouver son souffle, elle balbutia :

– Je te prie de m'excuser. J'ai eu tort. Tu dois comprendre...

Prise d'inspiration, elle lâcha d'une traite :
– Je vous implore d'accepter mes plus humbles excuses, ô grand et puissant Maximilien.
Il renversa la tête en arrière et partit d'un grand rire et elle sut que tout allait bien. Il ne partirait pas.
– Tu n'es plus furieuse parce que je veux profiter de tes bonnes gens?
Anne secoua la tête d'une façon véhémente.
– Non. C'était idiot. Il me semblait avoir compris ou vu quelque chose dans ton expression. C'est fini. Je sais bien que tu ne leur ferais pas de mal.
– Certainement pas.
Il retira sa main, qu'Anne tenait encore, et la mit dans sa poche.
– Quand j'étais en Afghanistan, j'ai connu un autre photographe, Rick. Plus âgé et plus dur que moi, il m'a beaucoup appris. Il avait suivi la guerre du Viêt-nam et en était revenu intact, physiquement et émotionnellement. Rien ne le touchait. Il était à la recherche perpétuelle de l'instantané qui lui ferait gagner le prix Pulitzer. Les êtres ne l'intéressaient pas. Je me demande même s'il les considérait comme des humains. Ce qui le captivait, c'était le cliché exceptionnel. Il voulait saisir l'agonie. Pas n'importe laquelle. L'unique, au moment où le corps chancelle sur la mine traîtresse. L'instant précis où l'hélicoptère explose en plein vol.
Max s'interrompit et aspira longuement avant de poursuivre.

– Après une longue nuit passée à boire dans un bar avec Rick, j'ai fait un bon examen de conscience. Ce ne fut pas très réjouissant. Après cela, je me suis fait le serment de ne jamais mettre mon métier au-dessus de mon sens de l'humanité. Je me suis juré que si, une seule fois, je ressentais le même détachement que Rick, je deviendrais photographe pour noces et banquets.

Anne, qui tenait les yeux baissés, releva lentement la tête. D'une voix enrouée par l'émotion, elle parvint à dire :

– Pardon, une fois de plus. Je savais cela. Je t'ai vu travailler et je connais tes principes. J'ai perdu la tête. J'étais si contente de te voir tout à l'heure. Il a fallu que je gâche tout. Je veux...

– Que veux-tu, Annie?

Humectant nerveusement ses lèvres, Anne nota que l'amusement réapparaissait dans la voix de Max.

– J'espère, avança-t-elle, vouloir la même chose que toi. J'ai besoin d'une relation qui me soit – et m'a toujours été – indispensable. Tu es la personne la plus importante de ma vie et je voudrais savoir si...

Max entoura les fragiles épaules de son bras et déposa un rapide baiser sur la tempe d'Anne.

– Si tu essaies de me dire que je t'ai manqué, la réciproque est vraie, petite fille. Enfin, si je promets de ne pas me moquer de tes charmants concitoyens, me feras-tu visiter la ville et me présenteras-tu à tes amis? Ne te vexe pas, mais ne je crains que si je leur dis que je vais les prendre en photo, nous allons les trouver en tenue du dimanche et ils nous recevront dans le salon des grandes occasions.

– Exactement.

En quelques minutes, Anne lui expliqua le projet sur lequel elle travaillait avec Cliff pour redonner vie à l'agglomération.

– Ils sont fantastiques, conclut-elle. La force et la fierté sont leurs qualités les plus évidentes. M. Hayes, par exemple. Oh, Max, tu vas aimer M. Hayes. Sa figure est comme une reinette de l'automne dernier. Et Lily Cobb. Je t'assure qu'elle ressemble à une grande-duchesse de l'ancienne Cour de Russie. Elle habite toujours la ferme qu'elle a achetée avec son mari dans les années vingt. Elle fait tout chez elle, malgré son grand âge. Il faut que tu la rencontres.

Depuis un moment, ils marchaient côte à côte. A cet instant, tout excitée, elle se planta devant lui en s'écriant :

– Je sais ce que nous allons faire, Max...

Les mots moururent sur ses lèvres lorsqu'elle se rendit compte que Max ne l'écoutait pas. D'un œil glacial, il la regardait, détaillant la main qu'elle avait posée sur son bras et l'abandon de son corps contre le sien.

Soudain, ils furent l'un contre l'autre. Les seins d'Anne s'écrasèrent sur la poitrine de Max qui saisit sa hanche. Perdant toute raison, la jeune femme se dressa sur la pointe des pieds pour lui offrir ses lèvres entrouvertes.

Mais rien ne se passa. Max poussa un soupir et détourna la vue.

Ramenée rudement sur terre, Anne murmura :

– Max..., je regrette.

Elle lui tourna le dos et croisa les bras sur sa poitrine.

– Max, reprit-elle, c'était idiot. *Idiot*. Comment puis-je me conduire aussi bêtement? Je suis ridicule.

Il lui mit la main sur l'épaule et la força à se retourner. Elle nota qu'il avait pâli sous son bronzage, mais il lui souriait.

– Ce n'est pas grave, petite fille. C'est comme une vieille manie oubliée qui te revient tout à coup, sans que tu saches pourquoi à ce moment précis.

En quelques mots, l'amour qu'ils avaient partagé était réduit à une ancienne routine. Elle lui était reconnaissante d'avoir minimisé l'incident, mais elle lui en voulait d'avoir réduit à si peu ce qui les avait unis dans le passé. Leur amour n'avait peut-être pas été parfait, mais il avait été fort et vrai.

Elle jeta un coup d'œil sur sa montre et s'exclama :

– Oh, mon Dieu, il faut que je fasse ma valise!

Cette errance avec Max lui avait fait oublier le voyage à Houston.

– Où ai-je la tête? Cliff va me tuer...

Tout en parlant elle retournait vers sa maison. Subitement, elle vit que Max ne marchait plus à sa hauteur. Elle fit demi-tour sur elle-même. Il était arrêté au milieu du chemin.

– Je ne serai absente que deux jours. Est-ce que tu... Te verrai-je au retour?

Il eut un instant d'hésitation. Puis il sourit.

– Je ne vais nulle part. Pour le moment.

5

Du coin de la rue, Max contemplait Emily. Tout ce qu'il y avait à voir dans la ville chérie d'Anne était sous ses yeux. Pas même de feux de signalisation. Il y avait bien un carrefour, mais il n'y passait jamais plus d'une voiture à la fois.

Au nord-ouest, entouré de chênes et de cèdres, le siège du tribunal local, une petite bâtisse sans grandes prétentions qui ne devait guère servir. Au nord-est, une rangée de boutiques sans fioritures, aux noms originaux, comme *La mode de Paris. Les meilleures glaces du monde* ou *Au bon beurre*. Derrière Max, la banque, un édifice guilleret aux fenêtres chargées de géraniums.

Il y avait environ un quart d'heure que Max avait commencé sa promenade et, déjà, une bonne douzaine de personnes l'avaient salué. Il en connaissait quelques-unes de vue, quant aux autres ni d'Ève ni d'Adam. C'était sympathique mais, en même temps, cela laissait une vague impression d'être constamment sous surveillance. Dans une ville comme Dallas, il aurait pu rester immobile pendant deux semaines à un coin de rue sans que personne s'aperçoive de sa présence. Apparemment, l'anonymat était lettre morte à Emily.

Annie était partie depuis vingt-quatre heures et ne reviendrait pas avant le lendemain, mais l'attente ne déplaisait pas à Max. Il lui faudrait bien ce temps pour se remettre de leur tête-à-tête près de la rivière.

Il s'était si souvent répété qu'il était le maître de ses émotions qu'il avait presque fini par le croire. Jusqu'au moment où le corps d'Anne l'avait frôlé. Quand il avait senti sa chair ferme à portée de sa main, il avait compris qu'il s'était menti.

Ce genre de situation ne se reproduirait plus, se rassura-t-il. Il avait attendu trop longtemps pour la retrouver. Il n'allait pas laisser son corps prendre le pas sur sa volonté.

– Si vous voulez attaquer la banque, je vous préviens que, tout vieux qu'il soit, M. Bradley est armé.

Il sursauta et se retourna d'une pièce. A quelques pas se tenait la rousse amie d'Anne.

– Carla, n'est-ce pas? Je crois que tous les gardiens de banque sont armés, non?

– M. Bradley est le caissier, pas le gardien. Il est myope comme une taupe, froussard comme un levraut, mais ne rêve que d'action.

– Merci de me prévenir. Je cherche un bon endroit pour déjeuner.

– *La Tour d'argent*. Mais oui, ne riez pas. Si vous êtes pressé, il y a de bonnes grillades chez *Olsen*.

– Parfait. Vous m'accompagnez?

Carla le dévisagea un instant, puis acquiesça.

Le restaurant *Olsen* avait adopté le style campagnard. Nappes et serviettcs en papier à carreaux, menu unique, salade de saison, grillade, fromage. La clientèle était rare en ces temps de crise et Bob Olsen les accueillit avec allégresse et les installa à la meilleure table, celle qui donnait sur le jardin.

Après avoir contemplé chaque feuille de sa laitue, Carla leva la tête et attaqua :

– Bon. Que voulez-vous savoir d'Anne?

Max rit franchement avant de répondre :

– Votre style me plaît. Direct, sans faux-semblants.

– Je ne mâche pas mes mots, admit-elle. Je vais droit au but. Pas comme comme vous.

– Ah! Parlez-moi du patron d'Anne.

– Cliff? Il y a peu à en dire. Il est veuf. Le premier citoyen d'Emily. Le fils de l'endroit qui a brillamment réussi. On pense qu'il va se lancer dans la politique. Je ne le crois pas. Il y a vingt-cinq ans, il est parti d'ici avec un peu d'argent que lui avait donné son père. Il est revenu millionnaire. Les gens l'estiment et admirent l'usage qu'il fait de sa fortune.

– C'est le bienfaiteur de la communauté?

– Quelque chose comme ça.

Tandis qu'ils dégustaient leur viande, elle énuméra les bonnes actions que Cliff Warner avait faites sans rechercher la publicité. Mais tout se savait à Emily.

Elle prit une gorgée de vin et se rejeta au fond de sa chaise.

– Tout cela est très bien, conclut-elle, mais ce n'est pas le genre de renseignement que vous souhaitez, n'est-ce pas ? Vous voulez savoir ce qu'il y a entre Cliff et Anne. Je ne trahirai rien en vous disant qu'Anne voit un père en Cliff. Cliff ? Demandez-le-lui. Mais je suis sûre qu'il ressent pour Anne ce que ressent toute la population d'Emily pour elle.

– La pauvre orpheline ? Rassurez-vous, ce n'est pas du sarcasme. Il est évident qu'ici tout le monde l'aime. Il suffit de voir leurs visages quand ils la regardent passer.

Carla leva les yeux au ciel et sourit.

– Elle, elle croit qu'ils sont simplement gentils avec la première venue.

– Les gens sont toujours gentils avec Anne, remarqua Max.

Tranquillement Carla sortit son poudrier de son sac, se poudra le nez, retoucha la ligne de ses lèvres, puis, regardant Max droit dans les yeux, déclara :

– Je ne sais pas ce que vous cherchez, mais je dois vous avertir que beaucoup d'hommes ici seraient très contrariés si l'on s'avisait de faire du mal à Anne.

Max ne put se retenir de rire.

– Pardonnez-moi. Je ne me moque pas de vous. D'une façon différente, elle m'a aussi mis en garde et m'a fait savoir de ne pas me mêler des affaires de sa ville. Seulement, ce qu'elle m'a dit n'avait pas l'air d'un ultimatum de la mafia.

Il fit une pause, regarda Carla droit dans les yeux et reprit :

– Vous êtes très proche d'Anne.

– Elle est ma seule et ma meilleure amie, répliqua la jolie rousse. La seule qui sait qui je suis. Et cela lui plaît.

– C'est bien d'Annie. Le fait d'avoir une prostituée pour mère lui a donné une sensibilité aux problèmes... Oh, je vous demande pardon, vous ne saviez pas?

La voix chargée de colère, Carla rétorqua :

– J'aurais mieux aimé ne rien savoir qu'elle ne m'ait dit elle-même. Voilà pourquoi elle ne parle jamais de son enfance et pourquoi elle trouve merveilleux les gens d'ici, pour la simple raison qu'ils l'aiment.

Brusquement, Carla se leva. Sans regarder Max, elle jeta :

– Merci pour le déjeuner. Bon séjour à Emily.

L'attitude de Carla envers Anne ne surprenait pas Max. Il savait ce qu'il était et l'avait éprouvé lui-même dans le passé. Anne avait l'air vulnérable et fragile. Ce qui pouvait tromper, d'ailleurs. Max l'avait suivie au long de sa croissance et savait que ce qui coulait dans les veines de la jeune femme n'était rien moins que de l'acier trempé.

Dans leur enfance, elle avait démontré sa force face à ceux qui la persécutaient. Quoi qu'ait pu faire Max, il y avait toujours des petites brutes pour rappeler à la fillette qu'elle n'était que la fille d'une prostituée. Mais elle ne leur laissait jamais voir qu'ils pouvaient la blesser. Elle savait garder la tête haute et se refusait à ce qu'on la voie pleurer.

Max n'oublierait pas, ne pourrait pas oublier, la nuit où il avait découvert que, des deux, c'était elle la plus forte. C'était la nuit où, pour la première fois, ils avaient fait l'amour.

Cela avait commencé à la fin d'une journée de février. Comme d'habitude, Ellie, Annie et lui étaient ensemble. M. Bright travaillant de nuit, ils s'étaient réunis chez Ellie. Allongés sur le tapis de la salle de séjour, ils jouaient au Monopoly et Anne s'était mis en tête de gagner.

Ils étaient tellement absorbés qu'ils sursautèrent en entendant la porte claquer. Ils levèrent les yeux sur le jeune frère de Max. Roger Decatur était brun, avec des traits agréables, mais mous, et plus petit que Max. Malgré ses dix-neuf ans, il avait des réactions puériles.

– Je me demande toujours ce que vous pouvez bien faire tous les trois. A quel jeu idiot jouez-vous? Qui gagne?

Retournant à ses cartes, Ellie lui intima :

– Va-t'en, Roger. Tu es chez moi et personne ne t'a invité.

Ignorant cette remarque, Roger se pencha sur Anne et tortilla une de ses boucles entre ses doigts.

– Annie, viens jouer avec moi, je te montrerai des choses autrement intéressantes.

Lentement, Max se mit sur pied. Il ne prononça pas un mot et ne fit pas un geste. Roger le regarda un instant, puis leva les bras au-dessus de sa tête en protestant :

– Ça va, grand frère, pas de quoi en faire une histoire. Je suis juste venu te dire que notre chère vieille tante n'est pas contente du tout que tu aies décidé de garder ton ancien job au lieu d'accepter celui qu'on t'a proposé. D'après elle, tu lui fais perdre au moins dix dollars par semaine. Elle menace même de te mettre à la porte.

– Et alors, rétorqua Max, où est la nouveauté? Je suppose qu'il ne t'est pas venu à l'idée de chercher du travail pour aider à payer les factures?

– Moi? Tu veux rire. Tante Charlotte ne veut pas que je perde mon temps. Je suis un brillant étudiant et un futur prometteur m'attend. Pas question de travailler, je me dois à mes études.

– Comment peux-tu être ainsi? intervint Annie. Max reste chez ta tante uniquement parce qu'il se sent responsable de toi. Comment as-tu le front de laisser cette femme prendre son argent et te le donner pour tes caprices?

– C'est un sale cochon, trancha Ellie, avec la personnalité d'une limace et l'intelligence d'une allumette brûlée. Et si je n'étais pas aussi gentille, je parlerais de son physique et de son haleine.

Roger fit un pas menaçant vers la mince brune, qui éclata de rire, suivie de Max qui s'écria :

– En cas de bagarre, Roger, je parie sur Ellie.
Roger fit un tour sur ses talons en grommelant :
– Je ne vais pas m'attaquer à un sac d'os.
Arrivé à la porte, il lança :
– Mais si Annie veut lutter, je suis à sa disposition. Qu'en penses-tu, Annie?
Max vit rouge et laissa échapper un rugissement de colère, mais avant qu'il pût s'élancer Anne l'avait entouré de ses bras, laissant le temps à Roger de s'échapper.
– Cela ne fait rien, Max, l'apaisa-t-elle. Laisse-le. Il sait que tu es mille fois meilleur que lui et me faire du mal est la seule façon qu'il a de te blesser. Mais, comme cela m'est égal, il a encore perdu.
Il baissa les yeux sur elle, captivé une fois de plus par sa beauté et par la pureté de ses pensées.
– Je ne veux pas que tu aies quoi que ce soit à faire avec une ordure pareille. Et quand je pense que c'est mon frère...
– Tu as envie de vomir, termina Ellie. C'est généralement l'effet que Roger produit sur les gens.
Ils éclatèrent de rire et l'atmosphère de la pièce devint plus respirable. Pourtant, quelques instants plus tard, Max remarqua qu'Anne était anormalement pâle.
– Tu as l'air fatiguée, mon petit. C'est ce rhume qui n'en finit plus?
– Je suis bien, Max, répliqua-t-elle. Cesse de te faire du souci pour moi.

Du bout des doigts, il lui caressa la joue en murmurant :

– Je veux te protéger de tout.

– Si je suis de trop, plaisanta Ellie, je peux sortir.

– Reste où tu es. Il est temps que je raccompagne Annie chez elle.

N'écoutant pas ses objections, Max obligea Anne à revêtir son propre blouson. Il avait l'habitude de ramener la jeune fille par la ruelle de derrière. Elle se glissait ainsi dans sa chambre sans que Rose Seaton, occupée à autre chose, se rendît même compte que sa fille était sortie.

Quand ils atteignirent la courette, Max prit Anne dans ses bras sans un mot. Il l'entendit soupirer et ses lèvres cherchèrent les siennes. Les quelques minutes avant qu'ils se quittent jusqu'au lendemain étaient le seul moment où Max se permettait le luxe de la serrer contre lui. Il lui était déjà si difficile de ne pas la toucher sans avoir à ajouter la torture de caresses plus intimes.

– Allez, petite fille, il est temps d'aller au lit.

Anne fit la moue.

– Quel tyran! Je ne suis plus une enfant.

– Je sais bien. Je ne veux surtout pas que tu aies des poches sous les yeux demain, pour mes photos.

Se dressant sur la pointe des pieds, elle lui mordilla le menton.

– Encore une petite minute, Max.

– Pas une seconde. Va vite dormir.

Faisant un étrier de ses mains, il l'aida à sauter la barrière de bois. Il l'entendit atterrir de l'autre côté.

– Max, attrape!

Et il reçut son blouson sur la tête.

– Merci.

Il l'entendit réprimer son rire.

– Max. Je t'aime. Très fort. Bonne nuit.

– Bonne nuit, petite fille.

Il revint vers la maison d'Ellie pour prendre congé.

Celle-ci l'attendait à la porte, les livres scolaires d'Anne dans les bras.

– Je pourrais les lui laisser demain matin en allant travailler? proposa-t-elle.

– Non, je vais aller les lui apporter tout de suite. Je ne crois pas que sa mère m'entendra.

– La chère femme n'entendrait même pas si la bataille de Waterloo se déroulait dans la chambre de sa fille. Il est plus de dix heures et, depuis au moins trois heures, elle cuve son whisky.

Cette façon de boire était une autre préoccupation pour Max, et il y pensait en faisant le chemin contraire. Les « amis » de Rose Seaton étaient là à toute heure de la nuit et ce joli monde était plus ou moins éméché.

Il détestait l'idée que sa douce Annie dût vivre dans cette ambiance. C'était un miracle qu'elle se soit préservée de toute souillure, entourée de tant de dépravation. Elle était comme un délicat papillon qui s'élevait au-dessus de la fange.

A la fin de l'année scolaire elle aurait terminé ses études secondaires. L'année porchaine, elle irait à l'université avec une bourse. Son Annie serait alors une jeune fille comme les autres, et saurait ce que pouvait être la vie pour un être aussi brillant qu'elle. Lorsqu'elle obtiendrait sa licence, Max aurait fait ses preuves comme photographe. Alors ils se marieraient et voyageraient vers des pays exotiques et peu connus. Elle serait toujours à ses côtés tandis qu'il imprégnerait la pellicule de toute la beauté du monde.

Anne et lui avaient parlé de ce projet des dizaines de fois. Quand les jours paraissaient sombres, ils évoquaient ce futur où ils ne seraient plus obligés de se séparer à la grille du jardin, où il n'aurait plus à se faire du souci pour elle jour et nuit. Alors elle serait en sécurité, car elle serait avec lui. A tout jamais.

Il jeta les livres par-dessus la barrière et sauta. Comme il prenait pied sur le sol, il l'entendit hurler.

Quand il arriva à sa fenêtre, elle était fermée. Sans hésiter, il prit une pierre qui délimitait la plate-bande et la lança dans le carreau. Tandis qu'il passait la main pour saisir la poignée, il la vit. Il vit aussi l'homme qui se penchait sur elle. Le corsage de la jeune fille, déchiré, laissait voir son épaule et ses longs cheveux couvraient son visage pendant qu'elle luttait contre son agresseur.

Les minutes qui suivirent échappèrent au contrôle de Max. Quand il reprit conscience, le type gisait sur le sol et Anne criait en essayant de détacher ses doigts du cou du malheureux. Sur le seuil, Mme Seaton, titubante, traitait Max de tous les noms possibles.

Max ne prêta aucune attention aux imprécations de Rose Seaton, mais, quand il vit l'horreur dans les yeux d'Anne, il desserra son étreinte et repoussa le triste sire.

En se relevant, il prit Anne dans ses bras et se tourna vers sa mère, la voix frémissante de rage :

– Je l'emmène. Elle ne passera pas une heure de plus sous ce toit.

– Je te ferai arrêter, glapit la femme. Pour kidnapping. Pour viol. Tu vas voir, petit voyou, tu vas être envoyé à l'ombre.

– Essayez, gronda Max. Essayez de m'empêcher de partir avec Anne, et c'est moi qui vais appeler la police. Ce sont les prostituées qui vont en prison.

– Max, plaida Anne.

Passant devant la mère outragée, un bras protecteur autour d'Anne, Max traversa la maisonnette. Il ouvrit la porte d'entrée d'un coup de pied. Contre lui, la pauvrette tremblait. Elle ne pleurait pas. Anne ne pleurait jamais. Elle ne cessa de trembler pendant tout le chemin qui les conduisait chez Ellie.

La charmante amie s'occupa avec douceur d'Anne. Elle la conduisit à la salle de bains, lui donna un chemisier neuf et lui prépara un tilleul. Se tournant vers Max, elle demanda enfin :

– Que comptes-tu faire? Elle ne peut pas retourner là-bas.

– Certes non. Je vais l'épouser.

L'idée de ce salaud portant la main sur son Annie rendait malade le jeune homme. Cela ne se reproduirait plus jamais.

– Nous allons nous marier, affirma-t-il. Vite... cette nuit.

Levant les yeux de sa tasse, Anne dit doucement :

– Max, c'est impossible.

C'étaient les premières paroles qu'elle prononçait depuis qu'ils avaient fui de chez elle.

– Tu ne peux pas m'épouser simplement pour me protéger de ma mère.

– Ne sois pas si bête, intervint Ellie. Même mon père, qui ignore même comment il s'appelle, sait que Max est amoureux de toi.

Brusquement Anne se leva, secouant la tête :

– Non, Max, cela va tout gâcher. Nous devions attendre que je sorte de l'université, et que tu sois devenu un vrai photographe. Tu disais...

– Oublie ce que j'ai dit. Veux-tu m'épouser, oui ou non?

Les longs cils de la jeune fille battirent, puis, ouvrant tout grand les yeux, elle affirma :

– C'est ce que j'ai toujours désiré.

Max sauta sur ses pieds, lui donna un baiser rapide et déclara :

– Pourquoi discuter plus longtemps. Ellie, tu viens avec nous?

– Je suis très flattée, mais je ne crois pas que ta vieille moto puisse nous conduire, surtout au-delà de la frontière. Je suppose que tu as un œil sur ma voiture?

Anne sauta de joie, ce qui amena un grand sourire sur les lèvres de Max.

– Oui, Ellie, insista-t-elle, viens avec nous. Tu seras le témoin de Max, et ma demoiselle d'honneur.

Ils laissèrent un petit mot pour M. Bright et s'installèrent dans la petite auto d'Ellie, en route pour le Mexique. Pendant tout le chemin, ces demoiselles firent profiter Max de tout leur répertoire, ajoutant des paroles de leur cru aux chansons à la mode. Il ne s'en plaignit pas, voyant les éclairs de joie dans les beaux yeux gris de son aimée.

Ils furent mariés le lendemain matin et, immédiatement après, reprirent le chemin de Dallas. Ellie dormait sur le siège arrière. Assise près de Max, Anne ne s'écartait pas d'un centimètre.

La nuit était tombée quand ils laissèrent Ellie devant chez elle, et ils prirent alors la monture de Max pour aller à un petit hôtel des environs. C'était certainement l'endroit le plus laid que Max eût connu, mais ses moyens ne lui permettaient pas mieux.

Il ouvrit la porte, prit Anne dans ses bras pour lui faire passer le seuil et la déposa plutôt brutalement sur le lit. L'intérieur de la chambre était pire que ce que pouvait laisser supposer la modestie de l'établissement. Il n'y avait que le lit et une chaise. Les tissus étaient grisâtres, comme la moquette.

– Ce n'est pas ce que je souhaitais. Je voulais que tout soit parfait pour toi. Tu sais, des palmiers, du sable fin, des guitares.

– Ce n'est pas mal du tout, protesta Anne. C'est propre, la serrure fonctionne et... regarde, nous avons notre salle de bains privée. Tu sais, je crois que ça me plaît beaucoup.

– Petite folle!

– Non. C'est toi qui es fou si tu crois que la perfection a besoin de sable et d'arbres exotiques. La perfection, c'est d'être mariée à l'homme que j'ai aimé toute ma vie. C'est avoir tes bras autour de moi et savoir que tu m'aimes.

Il prit le petit visage dans ses mains et, plongeant les yeux dans les siens, dit d'une voix étranglée :

– Tu es ce que j'ai de plus précieux au monde. Je ne sais pas ce que je ferais sans toi. Tu es toute ma vie.

Quand elle l'attira vers elle, Max oublia la pièce tristounette. Il avait souvent pensé qu'il était fou de désir pour elle. Il l'avait là maintenant entièrement à lui. Tout fut alors oublié.

La prenant dans ses bras, il la porta sur le lit où ils roulèrent ensemble au milieu de grands éclats de rire.

Couchés côte à côte, main dans la main, Max faisait des projets :

– Je n'habiterai plus chez tante Charlotte. Mon salaire nous suffira pour le moment. Nous ne pourrons pas nous permettre le grand luxe, mais nous trouverons ce qu'il nous faut. Ellie nous aidera à chercher. Le soir et les fins de semaine, je perfectionnerai ma photographie. Le journal m'a promis de me prendre toute ma production. Et puis, il y a un concours de l'État...

Il se rendit compte qu'elle n'avait pas dit un mot depuis un long moment.

– Es-tu fatiguée, ma chérie?

D'une voix calme et profonde, elle répondit :

– Je ne suis pas fatiguée. Je n'ai pas sommeil. Je suis mariée.

Avec humour, il rétorqua :

– Quelle coïncidence. Moi aussi.

Comme si elle ne l'avait pas entendu, elle poursuivit :

– C'est nouveau pour moi. C'est la première fois que je suis mariée, mais on m'a raconté des choses. Et, bêtement, je croyais que les gens faisaient autre chose que bavarder pendant leur nuit de noces.

Elle s'interrompit pour lui jeter un regard interrogateur et conclut :

– C'est juste le moment de me dire que c'est mon intelligence qui t'attire.

– Je t'ai précipitée dans le mariage, Annie. Je ne veux pas te forcer à autre chose. Je peux attendre...

– Je ne peux pas, coupa Anne. Je suis moins noble que toi. Plus gourmande peut-être...

Il prit sa main et la posa sur son cœur qui battait la chamade.

– Non, Annie. J'ai peur de ne pas bien agir. Je veux pour toi tout ce qu'il y a de mieux.

– J'ai ce qu'il y a de mieux. Tout près de moi.

Tandis qu'il la contemplait, elle déboutonna le corsage prêté par Ellie. Puis elle se leva et se défit de sa jupe et de ses dessous. Revenue sur le lit, elle ouvrit sans honte la chemise de Max et frotta ses seins ravissants contre la dure poitrine masculine.

Plus rien ne pouvait retenir Max. Pour la posséder, il aurait été capable de lutter contre une armée. Toutes ses joies du passé et tout l'espoir du futur étaient dans ce petit corps juvénile. Ce corps qu'elle lui offrait dans l'allégresse.

Elle n'eut aucun instant de timidité ou de remords. Même quand il sut qu'il lui faisait mal, elle ne protesta pas. Elle ne céda point son plaisir et se donna dans toute la splendeur de sa jeunesse.

Cette nuit-là, Anne n'avait pas eu besoin d'être protégée, pensa Max en remontant dans sa voiture de location. Elle n'en avait pas besoin. Elle était toujours plus forte que tout le monde, homme, femme ou enfant. Pourtant elle avait toute la ville à ses pieds. Elle excellait à ce jeu.

En roulant dans les rues calmes, Max se demanda si Carla savait que, le jour où Anne l'avait quitté, trois mois après leur mariage, elle était partie avec un autre homme.

6

LA sonnette d'entrée tira Anne de la douche. Pestant, elle enfila son peignoir de bain et courut à la porte, mue par une pensée soudaine.

« Non, ça ne peut pas être Max », se morigéna-t-elle en s'efforçant de marcher d'un pas normal. Elle venait à peine d'arriver de Houston et Max ne pouvait pas encore être au courant.

C'était Carla, qui venait aux nouvelles. Anne la regarda un instant sans mot dire, puis tenta de dissimuler son désappointement.

– Tu as mis des guetteurs sur le chemin? Il y a à peine une demi-heure que nous avons atterri.

– Christie Braham était chez sa grand-mère, qui habite près de l'aérodrome, expliqua la jolie rousse. Quand elle vous a vus, Cliff et toi, passer en voiture, elle a appelé Jess Gibbs, qui a appelé John Lovey, qui à son tour a téléphoné à ma mère. Voilà tout. Alors, comment cela s'est-il passé?

Elle se laissa tomber sur le lit, près de la valise à peine ouverte, tandis qu'Anne retournait à la salle de bains pour s'y vêtir.

De loin, Anne répondit :

– Rien de bien concret, hélas. Le genre laissez-moi-y-penser-nous-en-reparlerons, etc.

Ayant enfilé un jean et un T-shirt, elle réapparut. Étendant une longue jambe, Carla demanda :

– Tu aimes mes chaussures ?

Jetant un œil sur les souliers élégants et manifestement coûteux, Anne approuva :

– Très jolies.

– Dis-moi plus. Je les ai achetées la semaine dernière à Fredericksburg.

– Elles me plaisent plus que la mousse au chocolat mais moins que Mel Gibson, et je suis folle de jalousie. Où est Peter ?

– A la ferme, avec ses cousins. Ils devaient donner le biberon à un veau nouveau-né. J'ai dit que j'irai le chercher après avoir parlé avec toi.

– Tu rates le spectacle pour moi ? Je suis très touchée.

Carla rit franchement puis un silence étrange tomba entre elles, que Carla rompit bientôt :

– J'ai déjeuné hier avec ton ex.

Anne, qui relevait ses cheveux, laissa tomber les bras. Elle avait fait l'effort de ne pas penser à Max, mais sans y parvenir. Contrôlant sa voix, elle se contenta de dire :

– Ah ?

– Oui, il m'a invitée chez *Olsen*.

La jolie rousse glissa du lit et, se levant, vint se mettre face à Anne.

– Je crois que ton Max a une idée en tête, Anne.

Il ne m'a priée de l'accompagner que pour me soutirer ce que je savais de Cliff et toi.

– Il n'y avait pas grand-chose à dire.

– Et je n'ai pas dit grand-chose, mais il y a quelque chose que je ne peux arriver à expliquer. L'homme a du charme et il sait intéresser une femme.

– Tu veux dire qu'il est sexy en diable, s'esclaffa Anne. Tu ne m'apprends rien.

– Oui, oui, sans doute. C'est aussi un homme profond, du genre qui me rend nerveuse. Je te répète qu'il cherche quelque chose.

– Max est un homme compliqué. Il l'était déjà il y a onze ans... Bien des événements peuvent survenir en onze ans et ajouter à une personnalité. Cela ne veut pas dire qu'il poursuit quelque chose. Il pensait sûrement à son métier pendant qu'il parlait avec toi.

– J'ai fait mon devoir, ma petite Anne. S'il t'assassine pendant ton sommeil, ne viens pas me dire que je ne t'ai pas prévenue. A présent, je ferais mieux d'aller récupérer mon fils. Avec un peu de chance, le petit veau sera déjà en train de faire sa sieste.

Anne raccompagna son amie jusque dans l'entrée. Précisément au moment où elle s'introduisait dans sa vieille Dodge, la voiture de Max arrivait. Avant de mettre en marche, Carla lança un long regard significatif à Anne.

Max sauta sur le perron en demandant :

– C'est moi qui la fais fuir?

– Elle avait rendez-vous avec un petit taureau.

Anne ne pouvait détacher les yeux du visage de Max. Il n'y avait pas quarante-huit heures qu'elle l'avait quitté, le retrouver était comme l'apparition du soleil après la saison des pluies.

– Comment as-tu su? Non, ne me dis rien. Lovey t'a contacté.

– Erreur. Il a appelé Bill Loomis, qui me l'a dit. J'ai l'impression que vous n'avez pas beaucoup de succès à Houston.

– C'est aussi Billy qui te l'a dit?

– Non, je m'en suis douté. Porteurs de bonnes nouvelles, Cliff et toi seriez allés directement à la mairie.

– Très judicieux. Entre, je vais faire une tasse de thé.

Il la prit par le bras et l'entraîna vers sa voiture en disant :

– Nous n'avons pas le temps.

– Et pourquoi?

– Parce que, si le vent tombe, nous ne pourrons pas faire voler le cerf-volant que je viens d'acheter au bazar.

– Grands dieux! Je n'ai pas vu un cerf-volant depuis mon enfance.

– Moi non plus. C'est pour cela que j'ai acheté celui-ci. Tu te souviens de celui que nous avions confectionné avec du papier de soie?

– Oh oui! Nous y avions attaché la poupée Barbie d'Ellie.

– Quelles petites brutes! Viens, nous avons deux heures devant nous.

– Nous sommes en mars. Qu'est-ce qui te fait penser que le vent va si vite tomber?

– Alf Woodward m'a dit qu'il n'y aurait plus de vent en fin d'après-midi.

– Comment peux-tu faire crédit aux prédictions d'Alf. Il se fie aux pigeons de la mairie qui ne bougent jamais de leur colombier.

Cette fois-là pourtant, les pigeons eurent raison. Anne et Max passèrent deux heures et cinq minutes à se distraire avec leur jouet, puis le vent tomba brusquement.

Ce fut un moment de conte de fées. Jamais le ciel n'avait été aussi bleu et l'herbe aussi verte. Ils coururent dans des champs semés de pâquerettes naissantes. Anne se laissait envelopper par l'écho du rire de Max que le vent emportait.

Lorsque, ainsi que l'avaient prédit les pigeons, le vent s'enfuit, ils se laissèrent choir sur le pré, bavardant à bâtons rompus.

– Où habites-tu à présent? s'enquit soudain Anne. Au Texas?

Il était appuyé sur son coude, mâchonnant un brin d'herbe. Il se laissa rouler sur le dos, fixant le ciel.

– Au Texas, confirma-t-il. En Californie aussi. En Indonésie et au Venezuela. Partout et nulle part. C'est pourquoi je loue des voitures. Je n'ai pas de garage fixe. Je ne peux pas me fixer. Je vais où me pousse l'air du temps.

– Dans les petites îles japonaises, par exemple?

– Tu es au courant de mon séjour dans l'archipel Ryukyu? C'est là que j'ai séjourné le plus longtemps. C'est un endroit unique. Le temps y est suspendu. Les gens vivent de la même façon que vivaient leurs ancêtres.

Dans les yeux de Max passa une lueur d'amusement, avant qu'il reprenne :

– Tu te souviens de notre époque Tarzan, quand j'attachais une corde au cerisier du jardin d'Ellie et que nous prétendions que c'était la jungle?

– Comment ne pas m'en souvenir!

Tarzan était venu après Superman et les Trois Mousquetaires. Tout naturellement, Max, le seul qui pouvait dénuder sa poitrine, avait pris le rôle de Tarzan.

– Ellie était un vilain chasseur d'éléphants ou la reine des Zoulous. Tu partais la combattre mais moi, je ne pouvais bouger du fameux cerisier.

– Et où donc est la place de Jane? plaisanta Max.

– Qu'est-ce qui t'a fait penser à Tarzan?

Max chatouilla le menton d'Anne avec son brin d'herbe avant de répondre :

– Sur l'île japonaise, il y avait une vraie jungle, avec de vraies lianes.

– Tu n'as tout de même pas...?

– Pourquoi non? J'y ai accompagné les villageois qui allaient y cueillir des fruits. Quand j'ai vu ces lianes, je n'ai pu résister. J'ai fait mon numéro. Je me suis balancé au-dessus du vide, je me suis frappé la poitrine, j'ai même poussé le fameux cri, au grand étonnement de mes amis.

– Comment était-ce? Aussi merveilleux que nous l'imaginions?

– Encore mieux. Je me suis senti plein de puissance. Puis la liane a craqué et je me suis fait une belle entorse en me recevant par terre. Au retour, mes compagnons me laissaient tomber sans arrêt tant ils riaient. Je suis rentré couvert de bleus.

Anne n'avait pu se retenir de rire avant qu'il ait fini.

– J'aurais voulu voir ça, s'exclama-t-elle. J'aurais voulu le faire. Nul doute que j'aurais fait mieux que toi.

– Certainement. Tu ne pouvais même pas rester un quart d'heure perchée sur ce pauvre cerisier. Je n'ai jamais pu comprendre pourquoi tu ne tombais pas quand tu étais une princesse captive, et, en plus, tu étais une bien mauvaise Jane.

– Parce que, comme princesse, je n'osais pas bouger. J'étais terrifiée par la hauteur et me gardais bien de faire un mouvement avant ton retour et celui d'Ellie.

– Pourquoi ne m'as-tu pas dit que tu avais peur?

– Je ne sais pas. Je suppose que je craignais que vous ne me laissiez plus jouer avec vous. En fait, quand je suis devenue Jane, j'avais pris de l'assurance. Pendant que tu partais à la poursuite d'Ellie, je m'exerçais à la corde. J'étais meilleure que toi. Moi, je n'ai jamais atterri dans les azalées.

Quand Max la menaça du doigt, son rire redoubla.

– Tu aurais dû prendre une photo de toi, reprit-elle, Maximilien Decatur, l'homme-singe éclopé, et tu l'aurais fait figurer dans ton livre. J'ai beaucoup aimé les photos que tu as prises là-bas. Celle du vieux pêcheur ridé m'a rappelé une autre, d'un pêcheur aussi mais mexicain. Ils ne se ressemblaient pas physiquement, toutefois il y avait la même lueur dans leurs yeux. La sérénité. C'était comme si tous deux avaient découvert un secret que le reste des humains ne peut saisir.

– La photographie du Mexicain n'a jamais été publiée. Comment la connais-tu? Quand et où l'as-tu vue?

– Il y a six ans, lors de l'exposition d'Atlanta.

Un pli marqua le front de Max qui précisa :

– Cela n'a duré qu'une semaine, et je me trouvais dans la salle tous les jours.

– Je sais, je t'ai vu.

Anne n'avait pas besoin d'expliquer pourquoi elle ne s'était pas fait connaître. Tous deux ne le savaient que trop bien.

– J'y étais le soir du vernissage, continua-t-elle. J'étais très fière de toi. Tous dans cette galerie reconnaissaient ce que je savais depuis toujours. Que tu es le meilleur.

Il y eut un silence tendu. Max soupira et sourit.

– Tu exagères peut-être un tout petit peu.

– Non.

Anne mit sa main en visière pour regarder un oiseau qui s'envolait dans le soleil couchant. La voix un peu hésitante, elle se décida à poser la question qui lui tenait à cœur :

– Combien de temps es-tu resté avec Neal Reynolds?

– Un peu plus de deux ans. Nous avons parcouru le monde entier, visitant tous les endroits dont nous parlions, toi et moi. J'étais si ignorant que je croyais que je n'avais qu'à sortir avec mon appareil et mitrailler tout ce que je voyais. Neal m'a enseigné que c'était loin d'être suffisant, qu'il fallait connaître les gens et me préparer. J'ai étudié l'histoire et la politique et j'ai appris des langues. Avant d'aller quelque part, nous nous penchions sur tous les clichés qui avaient été faits de cet endroit dans le passé. Il m'initia à des techniques que, seul, j'aurais mis des années à découvrir.

– Et il t'a fait connaître.

– Oui, admit Max. Son appui m'a ouvert les bonnes portes. Travailler avec lui a été la grande opportunité de ma vie et j'ai l'impression de n'avoir pas su lui exprimer combien j'appréciais cette chance.

Il fit une pause et reprit, la voix un peu étranglée :

– Tu as appris sa mort, il y a quelques années?

– Oui, je l'ai lu dans les journaux. Il a vécu suffisamment pour t'aider à révéler ton talent. C'est comme s'il avait voulu te passer le flambeau.

Un doux sourire naquit sur ses lèvres tandis qu'elle s'allongeait à nouveau sur le sol. Penché sur elle, Max se demanda un court instant pourquoi elle était intriguée par le temps qu'il avait passé comme élève de Neal Reynolds.

Rejetant cette curiosité, il s'étira paresseusement et ferma les yeux.

Quelle bonne journée. Il avait oublié ce que c'était qu'être jeune. Il n'avait que trente-trois ans et la vie devant lui, mais, souvent au cours des onze dernières années, il s'était senti accablé par le poids du temps qui passait.

Anne pensait qu'elle lui devait quelque chose. Dans ses yeux, dès son arrivée à Emily, il avait pu voir qu'elle reconnaissait sa dette. Lui redonner un peu de sa jeunesse n'était pas un mauvais commencement.

A ce moment, couché près d'elle, il fouillait dans son passé pour retrouver le moment exact où il avait perdu l'envie de regarder le soleil en face et de rire. C'était sans doute le soir où Anne était partie.

Ce n'était pas le moment d'y penser. Le passé ne pouvait envahir ses pensées et ses sentiments. Il y avait maintenant un homme et une femme qui se plaisaient ensemble, et il lui fallait se convaincre de cette vérité pour gagner un peu de paix dans l'avenir.

Ce jour-là, il avait tout fait pour la mettre à l'aise. Mais cela n'avait pas été facile pour lui. Dans toute l'organisation de cette partie de campagne, il n'avait pas tenu compte de la difficulté de s'interdire de la toucher.

Ce n'était pas la peine qu'il se leurre en pensant qu'il en aurait été de même avec une autre femme attirante. Il avait essayé et n'avait pas réussi. Il n'était pas un homme privé de femmes. C'était bien plus profond. Comme cela avait toujours été et serait probablement toujours, il n'avait de vrai désir que pour Anne.

Elle souriait tandis qu'elle étudiait les changements sur la physionomie de Max. Elle pouvait l'observer à chaque instant de toute sa vie, et ne pas s'en lasser. C'était extraordinaire de voir comment des os, des muscles et de la chair pouvaient s'assembler aussi harmonieusement.

A son tour, elle ferma les yeux et se dit que cette journée avait été de pure joie. Pendant ces heures, elle avait évité la réalité. La réalité de ce qui était advenu dans le passé. La réalité qui l'attendait dans le futur. Aujourd'hui son cœur et son esprit avaient trouvé un peu de calme. Le démon avait été écarté.

« Comme le monstre dans l'armoire », se dit-elle.

Quand elle avait eu six ans, un monstre était venu s'installer dans l'armoire de sa chambrette de Weiden Street. Durant le jour, le monstre ne lui faisait pas de misères. Elle pouvait prendre ses jouets et ses vêtements en toute quiétude car elle savait d'une certaine façon que le monstre était occupé ailleurs. Il revenait dès que le soleil se couchait et que les ombres envahissaient la pièce. Elle pouvait entendre les lames du parquet gémir sous ses pas quand il rentrait. Bien des nuits, elle était restée sans sommeil, la couverture remontée par-dessus la tête, attendant qu'il vienne l'enlever.

Même si elle pensait à autre chose, l'angoisse subsistait dans son esprit.

Anne vécut dans la terreur du monstre jusqu'au jour où elle se sentit assez forte pour l'affronter. Elle ouvrit la porte de l'armoire en pleine nuit. Par le simple fait de l'affronter, elle lui avait ôté toute réalité.

Mais le monstre avec lequel elle cohabitait depuis onze ans était d'une tout autre étoffe. Et même un jour comme celui-ci, où Max lui avait tant donné, elle savait que la bête était tapie dans l'armoire de son esprit, impatiente de bondir sur elle.

– Reviens, reviens, veux-tu? susurra Max.

Elle ouvrit grand les yeux et lui sourit.

– Pardonne-moi. Je rêvassais. Tu disais quelque chose?

– Simplement que tu as une coccinelle dans les cheveux.

– De quel côté? Je ne veux pas lui faire de mal.

Avec douceur, il sépara les mèches pour libérer l'insecte. Puis, d'une voix légèrement distraite, il remarqua :

– Tes cheveux sont extraordinaires. Dans l'ombre, on dirait qu'on a renversé de la gelée de framboises dans du miel. Mais, quand le soleil les touche, lés couleurs deviennent vivantes.

– De la gelée de framboises? Eh bien...

Les mots moururent avant d'être dits. Elle sentait son souffle sur elle pendant qu'il continuait à caresser sa chevelure.

– Que voulais-tu me dire? s'étonna Max.

Elle eut un petit rire rauque.

– J'ai oublié, bien que je sois pratiquement sûre que c'était très spirituel.

– Regarde, elle est saine et sauve.

Il lui montrait sur le bout de son doigt la jolie petite créature, qui prit bien vite son envol sans qu'Anne s'en rendît compte. Max était trop près.

– Petite Annie, souffla-t-il.

Se penchant, il frotta les lèvres d'Annie avec les siennes, une fois, deux fois, trois fois. Un gémissement se forma dans la gorge d'Anne. Les sensations réprimées devenaient explosives. Tout son corps était douloureux.

Juste au moment où elle allait tendre son corps contre le sien, il lui donna une petite tape sur la joue et s'assit. Puis il se leva et lui offrit la main pour l'aider en disant :

– Viens, petite fille, il commence à faire frais.

Elle cligna des yeux, le cœur battant, la tête vide. Il la gratifiait d'un sourire chaleureux et amical. Pourquoi sentait-elle alors que, dans ce regard sombre, il y avait une intention qui devrait la faire fuir?

7

ANNE décida de demander une semaine de congé à Cliff, qui la lui accorda avec empressement. Leur prochain voyage n'était pas prévu avant longtemps et elle voulait disposer de son temps au cas où Max souhaiterait qu'elle lui tienne compagnie. Comme par miracle, c'était exactement ce qu'il souhaitait.

Durant tous les jours qui suivirent, ils ne se quittèrent pratiquement pas. Elle ne manqua pas de lui présenter ses amis et ses voisins mais, souvent, il oubliait son projet et proposait des divertissements comme canoter sur la rivière, aller danser au *Longhorn* ou se rendre chez les antiquaires de Fredericksburg.

Peu à peu, Anne cessa d'être sur ses gardes. Elle avait beau se traiter d'idiote, elle ne commençait pas moins à croire, au fil du temps qui passait, qu'il était possible de faire disparaître le passé. C'était comme si on lui avait offert la chance de réécrire son histoire avec Max.

Avec un effort louable, elle repoussa les souvenirs douloureux et se permit le luxe d'être aux côtés de Max sans avoir à lutter contre ses propres réactions. D'ailleurs, il avait autant envie d'être avec elle qu'elle avec lui. Elle pouvait même le toucher sans craindre de se rendre ridicule.

Elle sentait pourtant le même besoin de lui. Quand ils dansaient, elle n'hésitait pas à presser son corps contre le sien. Et quand ils s'embrassaient, elle n'avait plus peur de le gêner par sa façon de réagir.

Être avec Max semblait tout naturel. Elle se disait que, s'il s'avançait un peu et lui faisait l'amour, tout serait aussi naturel qu'avant.

Tandis que les caresses et les baisers devenaient de plus en plus fréquents, Anne crut que cela allait arriver. Mais, comme s'il avait un instrument de mesure invisible, quand un certain point était atteint, Max faisait marche arrière en la taquinant et en plaisantant, jusqu'à ce qu'elle retrouve son équilibre.

Ils en étaient à ce stade-là une bonne semaine après l'arrivée de Max, lorsque le troisième membre du trio historique fit son apparition. Accompagnée de son mari, Garrick, Ellie vint de Dallas dans son avion privé pour passer la journée avec eux.

Elle était encore plus belle que dans les souvenirs d'Anne. Au premier abord, la suprême élégance de la jolie brune pouvait paraître intimidante, mais très vite Anne retrouva sa plus chère amie.

Pendant que les hommes allaient voir un match de base-ball, Anne et Ellie parlèrent de leurs vies et échangèrent des secrets, comme elles le faisaient dans leur enfance. Quand Max et Garrick réapparurent, elles se mirent à préparer le dîner.

– N'es-tu pas contente que nous soyons restées si mignonnes? demanda Ellie.

Anne, qui préparait une vinaigrette de son invention, leva la tête, étonnée.

– Est-ce bien à nous de le dire?

– Et comment! Ne compte pas sur les hommes pour te le dire.

– Tu as raison, s'esclaffa Anne.

– A propos, tu sais qui j'ai rencontré, il y a quelques jours? Sandra Whitaker.

C'était une de leurs compagnes du lycée. Les cheveux blond platine, elle portait des sweaters très ajustés et des talons hauts. En tout, elle cherchait à imiter Marilyn Monroe, et Anne et Ellie l'admiraient beaucoup.

– Ne me dis pas, réagit Anne. Elle a épousé un milliardaire, ne porte que de la zibeline blanche et roule en Mercedes.

– Tu n'y es pas. Elle a épousé un veuf chargé de trois enfants et en a eu deux à elle. Devine ce qu'il fait? Il est instituteur. Je ne te taquine pas. Sandra Whitaker est la femme d'un instituteur! Elle a les cheveux bruns, ne se maquille pas du tout. Et, je te le donne en mille, elle est absolument charmante.

– J'ai peine à le croire. Sandra! Tu te souviens,

Max nous envoyait en éclaireurs pour voir si elle ne lui tendait pas une embuscade. Elle était prête à tout, sauf à grimper dans son lit quand il ne la voyait pas.

– Elle l'aurait fait si elle avait cru pouvoir l'attraper. Et rappelle-toi quand elle sortait avec Roger. Roger était si vaniteux qu'il ne s'est même pas rendu compte qu'elle l'utilisait pour être plus près de Max. La gloire du collège. Il était si persuadé d'avoir une brillante carrière. Il vend des voitures d'occasion à présent.

– Ah bon! s'exclama Anne. Il doit réussir, il aurait tiré de l'argent d'une pierre.

Le silence tomba. Anne leva les yeux pour trouver Ellie en train de l'étudier de près. Elle ne put se contenir :

– Anne, tu ne savais donc pas ce que fait Roger? Tu ignorais qu'il était marié, avait deux enfants et vivait à Phoenix?

Lentement, la jeune femme disposa les feuilles dans le saladier avant de répondre :

– Non. Je ne savais rien de tout cela.

Un moment après, Ellie l'interrogea abruptement :

– Anne, pourquoi t'es-tu enfuie avec Roger?

La question prit Anne au dépourvu. Elle resta un instant sans voix, cherchant non pas une réponse, mais une échappatoire. Déjà Ellie reprenait :

– Je n'y comprends rien et n'y ai jamais rien compris. *Toi et Roger!* Je sais que tu t'es toujours montrée gentille avec ce pauvre type, mais je pensais que c'était par bonté. Mais quand tu l'as suivi...

Elle s'interrompit et secoua la tête à plusieurs reprises.

– Pendant longtemps, je ne savais plus que penser, persista-t-elle. M'être trompée si lourdement sur toi m'a fait remettre en question tout ce à quoi je croyais.

– J'en suis désolée, murmura Anne. Je ne m'en suis pas rendu compte. Je crois que tu m'as pardonnée et je t'en remercie. C'est si important pour moi.

Ellie haussa les épaules.

– Il n'y a rien à pardonner. C'est une décision qui n'appartenait qu'à toi. Pour moi, en fait, le mal n'a pas été très grand.

Anne trancha brusquement une tomate avant de rétorquer :

– Tu veux dire, comparé avec ce que j'ai fait à Max? Je sais que je l'ai meurtri, mais parfois il vaut mieux en finir vite avant d'être malade des regrets de ce qui aurait pu être.

– Si tu étais restée avec lui sans l'aimer, cela aurait été pire, n'est-ce pas? C'est possible. Cependant, si tu m'avais dit la même chose il y a onze ans, je t'aurais traitée de menteuse et dit que tout valait mieux que de le laisser dans les pattes de Gina, même un mauvais mariage.

Elle roula les yeux d'une manière comique et reprit sur un ton de moquerie :

– Chère Gina, si distinguée, si enchantée qu'il soit libre de tout lien, comme elle disait la bouche en cœur. Je ne l'ai vue qu'une fois ou deux et elle m'a porté sur les nerfs.

Avant qu'Anne ne pût s'en empêcher, sa question fusa :

– Est-ce que Gina a obtenu ce qu'elle poursuivait? Je ne l'aimais guère. Quand j'ai su que Max travaillait avec son mari, je me suis posé des questions.

– Moi aussi, reconnut Ellie. Max met la barre très haut, comme tu sais. Mais il souffrait tellement. Pardonne-moi ma franchise, Anne, mais pendant au moins deux ans après ta fuite, il a vécu un enfer. Je craignais qu'il tombe dans les filets de Gina, qui est une femme à savoir mener un homme. Cependant Max avait trop de respect pour Neal. Même si Max avait désiré Gina, ce dont avec le recul je doute fort, il n'aurait rien fait contre Neal.

– Je m'en réjouis, soupira Anne.

– Max et toi n'en avez pas parlé? Enfin, de ton départ, et comment il l'avait ressenti?

– J'ai essayé d'aborder le sujet une fois ou deux, réellement, Ellie. Il a fait comme si cela n'avait pas d'importance et je me suis dit que c'était mieux ainsi. En vérité, je n'ai rien à dire. Je peux présenter des excuses pour ce que j'ai fait, mais je ne peux pas dire que j'ai commis une erreur. Tout ce que je peux exprimer est que notre mariage était une méprise et que je suis partie. Cela, il le sait.

– Tu t'es trompée avec un des frères, et tu as pensé qu'il fallait faire un essai avec l'autre? As-tu donné à Roger une période de trois mois, comme à Max?

Les phrases cruelles firent monter le rouge au front d'Anne, qui ne put que balbutier :

– Je... Je...

– Non, ne réponds pas. Cela ne me regarde pas. Je voulais te faire comprendre qu'il y a encore des choses dont vous devez parler.

Anne ferma les yeux un instant, puis regarda fixement son amie.

– Ellie, j'ai peur. Je suis terrifiée à l'idée d'ouvrir la porte de ce placard. C'est stupide. Ces jours derniers ont été... c'est comme si j'avais été enterrée vive toutes ces années passées en sachant que je n'en sortirais plus. Puis le miracle se produit et j'ai le droit de revoir le soleil. Je veux seulement que ça dure encore un peu. N'est-ce pas trop demander?

– Non, rassura Ellie. Mais, un jour ou l'autre, la réalité se présentera et je crains que ce ne soit encore plus dur pour toi.

Elle resta pensive un bon moment, puis poursuivit :

– Cela me conduit à une des raisons pour lesquelles je voulais te rencontrer. Cette situation entre Max et toi me préoccupe. Il n'est plus le même que nous avons connu à Weiden Street. Il a changé, Annie. Énormément.

– Moi aussi, approuva Anne. Toi aussi. C'est la vie.

– Oui, mais pour Max ce n'est pas aussi simple. La façon la plus simple de te l'expliquer est de te parler des femmes dans la vie de Max.

– Je ne veux rien savoir.

– Ne sois pas stupide. Je ne vais pas t'en dresser la liste ni te décrire ce qu'ils faisaient. Ni même ce qu'il ressentait pour elles. Mais, si tu prends tes distances et considères l'ensemble, tu verras les changements auxquels je fais allusion. Au début, pendant au moins un an, il n'y en eut aucune. Cela m'ennuyait. Il était absolument seul. D'un seul coup, il s'est mis à avoir des liaisons, à droite et à gauche. Il semblait rechercher la pire espèce. Celles qui jouent à des jeux dangereux, qui utilisent et rejettent. Sinon que c'était lui qui avait le dessus. Il a dû en tirer quelque satisfaction. Et maintenant... Depuis plusieurs années, il n'y a plus personne. Comme s'il s'était prouvé ce qu'il recherchait et n'avait plus besoin de personne.

Elle rencontra le regard d'Anne et continua :

– J'ai une profonde affection pour Max, Annie, mais je ne me fais aucune illusion sur lui. Il y a quelque chose de brisé en lui. Depuis que tu l'as quitté, il n'a pas réussi à avoir une relation stable avec une femme. Il est devenu dur et cynique.

Anne essaya de déchiffrer l'expression de son amie.

– Es-tu en train de me mettre en garde?

– Je ne sais pas, rétorqua Ellie. J'ai peur pour vous deux. Vous avez déjà été assez éprouvés comme cela. Je ne voudrais pas que ça recommence.

– Tu es une véritable amie, mais tu te trompes. Ce qu'il y a entre Max et moi ne peut être stoppé. Peu importe ce que je pense ou ce que je ressens. L'écheveau se débrouillera seul, en son temps.

Avant qu'Ellie puisse poursuivre la discussion, elle jeta un coup d'œil sur sa montre et s'écria :

– Ils en mettent un temps pour aller chercher du vin. Sois gentille de finir la salade pendant que je vais me changer pour quelque chose de plus élégant. Ce n'est pas tous les jours que nous sommes réunis.

– Annie... non, laisse tomber. Va t'habiller.

Dans sa chambre, elle sortit une robe vert mousse qu'elle aimait beaucoup, mais qu'elle n'avait pas souvent l'occasion de mettre. Elle était un peu démodée et suavement féminine. Mais, ce soir, elle était Annie, pas Anne.

Elle se coiffa en catogan et se dépêcha de sortir en entendant les hommes rentrer, les bras chargés de bouteilles.

Ils dînèrent sur la terrasse, profitant de l'extrême douceur de l'air. Quand ils eurent terminé, la nuit était tombée, et Anne servit le café dans le salon.

Le mari d'Ellie n'était pas très bavard, mais il avait un bon sens de l'humour, sachant prendre les gens au dépourvu et, quand il participait à la conversation, c'était d'une façon intelligente. Au début, Anne craignit que l'évocation de leurs souvenirs communs ne finisse par incommoder Garrick, mais il avait l'air de se réjouir de la gaieté de sa femme. Ils étaient assis tous les deux sur le canapé et, de temps en temps, Ellie, sans cesser de bavarder, saisissant la main de son mari en une caresse presque inconsciente.

Leur intimité et la communion de leurs âmes étaient évidentes tandis qu'Anne, tout en s'en réjouissant pour son amie, ne pouvait s'empêcher de ressentir une légère tristesse lui étreindre le cœur.

– Il n'est pas si tard que ça, protestait Anne.

Ils raccompagnaient leurs invités à la porte et, bien qu'il fût plus de minuit, Anne n'avait pas envie de voir cette soirée prendre fin.

– En Chine, peut-être, riposta Ellie. A Emily, Texas, il est effroyablement tard. Et si nous ne nous hâtons pas, Joe Mack est capable de donner la chambre 10 à d'autres voyageurs.

Anne se mit à rire et leur souhaita bonne nuit. Tandis que Max allait avec eux jusqu'à leur voiture, elle ramassa les tasses tout en fredonnant.

– Qu'est-ce qui te rend si gaie?

Elle regarda par-dessus son épaule et vit Max, appuyé au mur, derrière elle.

– Je pensais à ce soir, à la joie d'être à nouveau tous les trois. Au cours des années où nous avons été séparés, vous m'avez manqué, tous les deux, mais, curieusement, je l'ai ressenti encore plus fort tout à l'heure. N'est-ce pas bête?

– Oui. C'est comme rester pendant longtemps dans l'obscurité. On ne se sent pas à l'aise. Quand le soleil se montre, c'est alors qu'on réalise exactement ce que l'on regrettait.

Il s'approcha d'elle et lui ôta les tasses des mains.

– Laissons cela pour plus tard.

Il l'attira à son côté sur le canapé.

– Que penses-tu de l'époux d'Ellie?

– Il me plaît, affirma Anne. Garrick est manifestement amoureux fou d'elle. Comment n'aimerais-je pas un homme qui a si bon goût?

– Tout n'a pas été facile pour eux. Ils se sont rencontrés quand Ellie était au sommet de sa gloire de mannequin. Elle s'imaginait qu'il était attiré par la renommée d'Elise Bright plutôt que par notre brave Ellie, mais moi, je pense qu'il a reconnu Ellie et que c'est d'elle dont il est tombé amoureux. Lui, il croyait qu'elle ne s'intéressait qu'à sa fortune. L'année dernière, ils étaient au bord du divorce.

– Ils ont l'air si unis, s'étonna Anne.

– Ils ont dû mettre chacun du sien pour y arriver. Il semble parfois que dire la vérité revient à se jeter à la mer sans gilet de sauvetage.

Il sourit de son étrange sourire intérieur.

– Parfois tu ne peux pas te dire la vérité à toi-même.

Une seconde, elle observa ses traits rembrunis.

– Max...

– Que vous êtes-vous raconté, Ellie et toi, pendant que nous étions sortis?

– Comment? Oh, rien de spécial. Nous avons parlé du bon vieux temps et de Sandra Whittaker, de ta présence à Emily. Je crois qu'Emily se fait du souci pour nous, enfin, de nous voir ensemble. Pas ensemble ensemble, mais...

Max éclata de rire, passa son bras autour de l'épaule d'Anne et l'attira contre lui.

– Je vois. Ellie pense que je suis devenu un homme sans cœur. T'a-t-elle averti de surveiller tes arrières?

– A peu près, admit Anne.

– J'espère que tu lui as dit de s'occuper de ses affaires.

Anne se leva brusquement et marcha vers la cheminée. Le dos tourné, elle lui répondit :

– Non. Je lui ai fait savoir que tes motifs t'appartenaient et que je ne pourrais rien arrêter, même si je le voulais.

Elle sentit sa présence derrière elle avant même qu'il ne pose ses mains sur ses hanches.

– Tu te réfères-tu à ceci?

Il posa ses lèvres sur son cou.

– Ou à ceci?

Sa main saisit un de ses seins fermes.

Elle rejeta la tête en arrière pour la reposer sur son épaule. Les battements de son cœur devenaient douloureux. Elle se retourna violemment et se jeta sur sa bouche.

Tout à coup, il recommença. Il l'éloigna et se mit à bavarder le plus naturellement du monde, comme s'il n'y avait pas eu d'interruption.

– La prochaine fois qu'ils viendront, il faudra les emmener à Fredericksburg. Ellie aimera beaucoup.

D'une main tremblante, Anne remcttait de l'ordre dans sa chevelure. D'une voix étouffée par l'émotion, elle l'interrogea :

– Est-ce que cela fait partie de ton plan, Max? Juste assez pour m'exciter, et puis tu me repousses?

Les yeux réduits à deux fentes, il la considéra avant de demander doucement :

– Oui. Je n'ai pas peur de le reconnaître. Je l'aurais fait dès le premier soir, au *Longhorn*, si tu me l'avais demandé.

– Où cela nous mène-t-il, Max? Je ne me plains pas. Je veux seulement connaître les règles, et si cela fait partie du jeu. Je te le répète, où cela nous mène-t-il?

Max dressa un sourcil étonné.

– Tu as l'air contrarié, Annie. La journée a été longue. Tu es sûrement fatiguée.

Elle prit une profonde inspiration et leva les yeux sur le visage de Max. Elle y découvrit la confiance. Il était sûr d'elle. Elle serait là aussi longtemps qu'il le faudrait. Cela, ils le savaient tous les deux.

Elle mit ses mains sur ses épaules. Il la fixait toujours, mais ses yeux maintenant étaient pleins de circonspection.

– Ellie avait raison.

Elle frôla son menton de ses lèvres, puis le coin de sa bouche. Max lui saisit les poignets et mit ses mains entre leurs deux corps pour l'empêcher de venir plus près.

– Ellie ne m'a vu que deux fois au cours des six dernières années. Elle ne sait rien du tout.

Anne libéra ses mains et se rapprocha, agitant son corps contre le sien, sentant sa chaleur à travers le tissu léger de sa robe.

– Elle m'a dit que tu n'avais pas eu de femme depuis longtemps. Cela doit être dur pour toi de me sentir si près.

– Tu ne sais pas ce que tu fais, gronda-t-il.

– Ah non?

Elle prit sa main et la posa sur ses seins.

– Dans ton cœur, tu peux me mépriser. Dans ton âme, tu peux sentir du dédain pour la femme qui t'a trahi avec ton propre frère, mais ton corps n'a pas reçu le message. N'est-ce pas, Max?

D'un seul geste, il la jeta sur le divan et la couvrit de son corps, son visage à quelques centimètres du sien.

– Va au diable! éclata-t-il. Tu veux tout et tout de suite? Fort bien. Du mépris? Juste ciel, c'est un bien pauvre mot pour ce que je ressens pour toi, Annie. As-tu une idée de ce que cela a été pour moi quand j'ai su que tu étais dans les bras de Roger? Sachant que mon frère te tripotait, faisait l'amour avec toi? Maudits soient tes yeux impudents. Tu ne peux pas savoir le nombre de nuits que j'ai passées tout éveillé, pendant douze ans, à imaginer ce que je te ferais si je te retrouvais.

Sa figure était si proche à présent que non seulement elle entendait les mots, mais elle sentait leur brûlure.

Les phrases coulaient de la bouche de Max comme un fleuve ardent.

– J'aimais ces nuits, Annie. Cherchant comment j'allais te faire payer devint ma plus grande source de plaisir. Je ne savais pas que je pouvais être si créatif. J'ai pensé à plus de mille façons de te faire souffrir. Dans mes fantasmes, je savourais ta douleur. Je te voyais à genoux, implorant pitié.

Il rejeta la tête en arrière pour reprendre souffle.

– C'était bien mieux que le sexe, Annie. Mieux que la drogue. Le seul plaisir me faisait trembler, comme je tremble maintenant. Tu vois comme je tremble, Annie? C'est parce que je sais que la réalité va être bien meilleure que les rêves.

Anne le contemplait, les yeux écarquillés, tandis que la douleur entrait en elle. Mais c'était la douleur de Max qu'elle sentait.

– Ce n'est pas ainsi que cela devait se passer, enragea Max. Dès que je t'ai vue à San Antonio, j'ai commencé à dresser des plans. Je t'ai suivie jusqu'ici. Tu ne le savais pas? Je voulais la fin, la chute. Style œil pour œil, dent pour dent. J'étais décidé à attendre jusqu'à ce que tu dépendes de moi pour ta félicité, comme j'avais dépendu de toi. Avant d'arriver à ce point, tu aurais eu tellement besoin de moi que tu n'aurais pas pu envisager ton avenir sans moi. Et quand tu serais arrivée au comble du bonheur, au point de rendre grâce à Dieu, quand chacun de tes soupirs aurait été une pure joie sachant que j'étais dans ta vie, j'aurais tout détruit. Exactement ce que tu m'as fait.

Il posa son front sur celui d'Anne, reprenant souffle en de courtes inspirations, tentant de calmer ses idées, ses paroles, ses mains.

Un peu plus tard, il releva la tête pour la voir.

– Mais voilà, tu as bousillé le plan. Tant pis. Je pourrai le relancer.

Il ouvrit le premier bouton du corsage.

– Pendant onze ans, tu as le temps de penser. A ce que j'avais été pour toi, par exemple.

Le second bouton sauta.

– Je t'ai traitée comme une innocente. Comme une fragile poupée de porcelaine qui pouvait se briser si on la malmenait. Roger, lui, a eu une vision plus réaliste. Il t'a traitée comme une prostituée de la seconde génération.

Il eut un rire sarcastique et défit un autre bouton.

– Mon petit frère m'a donné une bonne leçon, je te prie de croire. Je reconnais qu'à cette époque j'étais plutôt naïf, mais ne t'inquiète pas à présent. J'ai pris des cours avec qui il fallait et je suis sûr de te satisfaire.

Max ouvrit le vêtement, dévoilant les seins parfaits.

– Tu vois. Rien qui puisse m'inspirer du dégoût. Un corps. Un joli corps. Pas aussi pur que je le pensais alors. Un instrument de plaisir, c'est ce que tu étais pour Roger. Et, comme tu vois, je me suis rangé à sa façon de penser.

Nerveusement, il faisait glisser la robe le long du buste d'Anne.

– Pourquoi ne dis-tu rien, Annie? J'imaginais que tu te défendrais. Un peu de lutte mettrait du piment à la chose.

Sa respiration sortait en sifflement et le bruit de son cœur lui cachait ses propres paroles.

– C'est bon, ne dis rien. Reste sur le dos et profite de la chose. Cela te plaît, Annie?

Il saisit un des globes délicats d'une main brutale et, de l'autre, aventura des caresses faites pour blesser et humilier. Pendant qu'il la touchait, il ne quittait pas son visage des yeux.

C'était enfin le moment pour lui de connaître le triomphe qu'il attendait. Rien ne se passa. Et, pendant qu'il plongeait dans les yeux de tourterelle, il sut qu'il n'obtiendrait aucune satisfaction.

Sans un mot, sans un geste, Anne avait vaincu de nouveau. Par sa tristesse. Comment avait-il pu oublier que, quand Annie était triste, aucun être humain ne pouvait supporter son regard sans flancher?

Un frisson le parcourut des pieds à la tête et, lentement, il commença à se relever.

Comme sortant d'un mauvais rêve, Anne cligna des paupières. Dans un murmure à peine audible, elle proféra :

– Qu'attends-tu? Finis, Max. Bon sang, finis!

Elle attrapa une de ses mains et la pressa sur son sein nu.

– Prostituée de seconde génération, tu te souviens? Vas-y, Max, ôte-moi ma robe. Je vais t'aider. Fais n'importe quoi pour que nous en finissions une bonne fois. Allons, pour que tu cesses de me haïr et que je n'aie plus à me détester.

Il enleva sa main, comme brûlé par un fer rouge, et cria :

– Arrête, arrête, Annie!

Le corps encore agité de rage et de passion, il s'assit à l'autre bout du canapé. Il entendit les sanglots sans larmes qui secouaient Anne, mais il n'avait aucun réconfort à lui offrir. Il ne pouvait pas se consoler lui-même.

Il ne savait pas combien de temps s'était écoulé. Il se leva et passa la main dans ses cheveux. Elle était dans la même position, fixant le plafond. Il ne lui dit pas un mot, pas même au revoir, et sortit.

Rejetée contre le mur de céramique de la douche, Anne laissait l'eau fraîche couler sur son corps endolori. Ce n'était pas la marque de Max qu'elle voulait effacer, mais sa propre tristesse et son désespoir.

Il y avait en lui tant de rage et de désolation, dont la force et la brutalité l'avaient bouleversée.

Elle se sécha, passa une robe de chambre et sortit de la salle de bains. Elle passa devant son lit sans s'arrêter. Elle ne dormirait pas cette nuit. Il se passerait encore de longues nuits avant qu'elle retrouve le sommeil. La maison qui lui avait apporté la paix résonnait à présent des cris de colère de Max. La haine qu'il lui portait poissait les murs et les meubles.

Sur la terrasse, elle s'assit dans un profond fauteuil d'osier, cachant ses jambes sous elle pour trouver un peu de chaleur, mais le tissu, pourtant épais, n'y put rien, car le froid n'était pas dans l'air. Il était dans son cœur. Comment réchauffer une âme?

Pendant des heures, elle resta immobile dans l'obscurité. Alors que l'aube pointait, elle entendit un bruit de pas. Bien qu'elle ne se fût pas attendue à ce qu'il revienne, elle croyait plutôt ne jamais le revoir. Elle ne fut point surprise.

Il s'installa en silence à quelques pas d'elle, mais elle ne détourna pas la tête du spectacle de la naissance du jour.

Sans préambule, Max attaqua :

– J'étais hors de moi quand je suis parti.

Elle rejeta sa tête sur le dossier et se mit à rire doucement à cette litote.

– Je me suis dit que tu avais encore gagné. Il m'a fallu un moment pour comprendre que ce n'était pas ce que j'avais lu dans tes yeux qui m'avait arrêté. Je me suis rendu compte que si je me laissais déposséder de mon ressentiment, je n'aurais plus rien. Tout ce qui m'a soutenu pendant onze ans était le désir de me venger. Et puis, après t'avoir abaissée, que me restait-il? Rien. J'ai joué ma dernière carte, Annie. Que vais-je faire désormais?

Doucement, Anne tourna la tête vers lui.

– C'était la nuit des révélations. Tout comme toi, j'ai appris des choses sur moi. Quand tu es arrivé à Emily, c'était comme si quelqu'un avait mis une lampe à la fenêtre pour que je retrouve le chemin de ma maison. Il semblait que tu avais rejeté le passé, ce que je n'avais pas su faire. Je croyais que, si tu me disais les mots du pardon, tout serait oublié. Nous serions amis à nouveau et je pourrais faire face à ma vie, peut-être même fonder une famille. Nous sommes un triste couple, Max.

– Veux-tu encore que je dise les mots que tu attendais?

La douceur du ton lui fit jeter un coup d'œil sur lui, pour la première fois depuis qu'il était revenu. Après un instant, elle secoua la tête :

– Non. Cela a été ma révélation. Rien de ce que tu pourras me dire me fera croire que j'ai payé pour ce que j'ai fait et aucune parole ne me servira d'absolution. Il n'y a rien qui puisse effacer ce que nous avons écrit. Mais je me réjouis que tout soit net à présent. Je n'ai plus à passer mon temps à craindre ce qui va arriver. Voilà, c'est fait, et c'est encore plus désagréable que je l'avais imaginé dans les pires moments.

Elle eut un petit rire ironique et Max s'agita sur son siège.

– Où en sommes-nous? demanda-t-il.

– Pire que quand nous avons commencé, j'en ai bien peur. Tu pensais que la vengeance te justifiait, et je ne rêvais que de pardon.

D'un bond, Max se mit sur pied.

– Je vais te dire, Annie, nous ne sommes pas une bonne compagnie l'un pour l'autre. Il ne faut surtout pas nous séparer.

Le cœur d'Anne s'emballa soudain.

– Que veux-tu dire?

– Il ne faudrait pas que quelqu'un se laisse prendre à nos charmes sulfureux.

– Tu as sûrement raison. Tu vois, je ne crois pas qu'il y ait des régiments d'hommes désolés par cette décision.

– Tu as dit que tu voulais affronter ta vie, avoir des enfants. Je suis prêt pour cela, moi aussi.

Il se rassit et mit ses coudes sur ses cuisses pour se pencher vers elle.

– Nous sommes d'accord pour dire que nous sommes condamnés à être malheureux. Pourquoi ne pas l'être ensemble?

– Quand es-tu arrivé à cette brillante conclusion?

– A l'instant même.

– Un fou, murmura-t-elle. Un fou. Et je l'écoute attentivement. Je ne veux pas gâcher ton triomphe, mais il y a deux ou trois petites choses qui t'ont échappé. Tu me hais, et je suis terrifiée par toi.

Il haussa les épaules.

– Au commencement, il y a toujours des petites aspérités qu'il faut gommer.

Elle rit et rit encore, et fort. Et Max la rejoignit dans ce rire libérateur. Ce fut lui qui reprit la parole.

– Penses-y, Annie. Que tu le veuilles ou non, il y a des liens entre nous qui ont survécu à onze ans de séparation. Onze ans de rage, de désespoir et de culpabilité.

Comme elle ne répondait pas, il lui prit la main.

– Bien, voyons les choses sous un autre angle. Supposons que tu me rencontres demain pour la première fois. Je te plairais, bien sûr. Non? Mais regarde ce profil. Et j'ai toutes mes dents. Alors?

– Quelle modestie! Oui, Max, si je te voyais pour la première fois, je serais séduite, mais...

– Tu vois bien, triompha Max. Et si je te rencontre demain pour la première fois, je ne te lâcherais pas d'un pied. Pourquoi ne le faisons-nous pas?

– Quoi?

– Nous rencontrer pour la première fois demain. En fait maintenant, car nous sommes demain.

Il se leva et salua cérémonieusement :

– Bonjour. Je suis Max Decatur. Je suis célèbre et je vous trouve ravissante.

– Je ne peux y croire, murmura Anne. C'est fou. Il y a quelques heures à peine, tu me haïssais tant que tu en tremblais.

– Je ne te connaissais pas encore. Je ne ressentais que de l'amertume pour la fille que j'avais connue. Je détestais mon ex-femme. Je la hais peut-être encore. Cela n'a rien à voir avec nous. Je veux *te* connaître. Ne veux-tu pas saisir la chance de *me* connaître?

C'était ce qu'elle voulait le plus au monde. Réussiraient-ils ?

A ce moment, le soleil perça la ligne des arbres et le monde autour d'eux prit vie. Debout dans la lumière éblouissante, Anne se fit un serment. Elle ne retournerait pas à la nuit sans lutter.

Elle se retourna et rencontra le regard de l'homme qu'elle aimait.

– Bonjour, Max. Je suis Anne.

8

DEUX jours après que Max et Anne eurent conclu leur singulier accord, Anne reprit son travail sur la suggestion de Max. Elle allait aider Cliff à sauver Emily tandis que Max retournerait à son projet, à l'origine un prétexte mais auquel il s'intéressait réellement à présent. Il lui dit qu'il devait cesser de se croire en vacances et qu'ils devaient se voir dans leur vie active. Anne se rendit volontiers à ses arguments.

La jeune femme était partagée. D'un côté, elle se disait qu'elle se prêtait à une expérience conçue par un dément, lui-même encouragé par une folle. De l'autre, elle faisait de la place pour l'homme de sa vie. Elle se sentait plus légère, l'air était plus pur, et elle bouillait d'impatience de retrouver Max le soir.

Elle l'emmena chez ses amis. Elle le vit tomber sous le charme de Lily Cobb, la vieille dame au profil impérial, et rit quand il échangea des histoires lestes avec M. Hayes. Elle partageait Emily avec lui et le vit tomber amoureux de la charmante bourgade.

Certains soirs, ils allaient goûter à la vie nocturne d'Emily, d'autres ils restaient chez eux et préparaient le dîner au milieu de grands éclats de rire. Ils s'asseyaient sur la terrasse et passaient de longues heures à deviser. Il partait vers dix heures mais, à peine arrivé chez lui, il l'appelait et ils restaient au téléphone jusqu'après minuit. Ils n'abordaient jamais de sujets importants.

Alors qu'ils finissaient de déjeuner un samedi, deux semaines après le pacte, Anne parla à Max du prochain voyage qu'elle allait faire avec Cliff.

– Cliff m'a fait faire du souci. Il a l'air très fatigué. Quoi qu'il en dise, ce projet exige beaucoup de lui. Il ne peut pas travailler à plein temps.

– Pourquoi le fait-il?

– C'est l'homme le plus généreux que je connaisse.

Max la considéra un instant en silence, puis finit par dire:

– Tu ne crois pas que tu vas un peu loin dans l'adoration? Tu as plein la bouche de Cliff.

Le sarcasme ne pouvait pas échapper à Anne.

– Tu n'aimes pas Cliff? Tu ne le connais pas. Vous n'avez même pas eu l'occasion de parler ensemble. Je vais l'inviter à dîner, ainsi tous les deux...

En se levant brutalement, Max fit tomber sa chaise.

– Ne t'en fais pas. Je n'ai aucune raison d'avoir

de la sympathie pour lui. C'est ton patron, pas le mien. Je vais faire un tour.

Effarée, elle ne put faire un geste. Il avait l'air furieux. Non, jaloux. Bien que l'idée lui parût ridicule, elle se souvint que Carla avait cru, elle aussi, qu'il y avait quelque chose entre Cliff et elle. Elle devait bien admettre qu'il ne s'agissait pas d'une relation ordinaire entre un employeur et son employée. Elle ne pouvait pas s'attendre à ce que Max comprenne d'un coup ce qu'elle ressentait pour Cliff.

Elle le retrouva à cinq cents mètres de la maison. Assis sous un arbre, les genoux ramenés sous le menton, il lançait des cailloux dans l'eau.

– J'aurais dû t'expliquer ma relation avec Cliff plus tôt. Ma seule excuse est que je ne me rends pas compte qu'on puisse se méprendre sur ce qui nous unit. Ce que je vais te raconter n'est pas pour forcer ta sympathie, mais je veux que tu comprennes mes sentiments pour Cliff.

Elle s'appuya contre le tronc et parla sans le regarder.

– Quand je t'ai quitté... non, laisse-moi recommencer. Quand j'ai eu dix-huit ans, je me suis retrouvée seule au monde et j'ai décidé d'aller à Houston. Il n'y avait aucune raison spéciale, sinon que c'était une grande ville et que je croyais qu'il serait plus facile d'y trouver du travail. C'était une erreur, car je n'avais ni diplômes ni expérience. Aucune qualification. Comme bien d'autres je me suis trouvée obligée d'avoir recours à la charité officielle. J'ai connu le mépris, la pitié et l'indifférence. Des trois, je préférais le mépris, c'était le moins débilitant. Enfin, au bout de deux mois, on m'offrit un travail dans une usine, pour faire des abat-jour en plastique.

Elle hésita devant le flux des mauvais souvenirs. D'une voix rauque, Max intervint :

– Où était Roger?

– Je croyais que nous n'allions pas parler de certaines...

– Oublie ça un instant. Où était Roger?

– Tu ne lui as pas parlé... quand il est rentré à Dallas?

– Je n'ai pas parlé à Roger depuis la semaine avant votre départ.

– Ah! Rien n'allait bien pour nous.

– Combien de temps êtes-vous restés ensemble?

– Très peu de temps, dit-elle dans un murmure.

S'éclaircissant la gorge, Anne reprit :

– Pour en revenir à ce que je disais, dès que j'ai eu le job à l'usine, j'ai loué une chambre pour moi seule. C'était minuscule mais j'étais chez moi. Puis, j'ai pris des cours à l'université, croyant que je me préparais un brillant futur.

– Et alors?

– Il y avait toujours quelqu'un de plus qualifié, avec plus d'expérience, que sais-je?

– Que fait Warner dans tout ça?

– Je l'ai rencontré par pur hasard. Pour me

faire un peu d'argent, j'avais pris un autre travail. Le soir, j'étais à l'usine et la journée, je servais dans un restaurant. C'était un bon établissement. Donc, un jour, Cliff était là avec sa femme, Paula. Pendant qu'ils étudiaient le menu, ils parlaient. Paula faisait savoir qu'elle était lasse du manque de loyauté des employés. Il semblait que Cliff eût formé deux adjointes qui l'avaient quitté pour d'autres compagnies.

Elle eut un petit rire avant de reprendre :

– Je ne sais pas ce qui m'est arrivé. J'étais là, attendant leur commande et, tout à coup, j'ai déclaré : moi, je suis loyale. Paula était bouche bée, mais je ne me suis pas démontée. J'ai répété que j'étais loyale et honnête, et qu'ils ne trouveraient aucune fille plus décidée à travailler. Et voilà que je me suis retrouvée assise avec eux, leur expliquant ce que j'avais fait, promettant de suivre d'autres cours. Paula tentait d'attirer l'attention du maître d'hôtel, mais Cliff riait de bon cœur. Après avoir rassuré sa femme, il me donna sa carte en m'indiquant d'aller le voir après mon travail. Enfin, il commanda une entrecôte et une sole.

– Et tout le reste n'est qu'histoire, grinça Max.

– Oui. Paula et moi devinrent de grandes amies et si quelqu'un dit que Cliff peut trouver une meilleure assistante, c'est faux. Je me suis débrouillée pour être la meilleure.

Elle lança un regard de défi à Max.

– Je n'oublierai jamais ce que Cliff a fait pour

moi. Sans lui, je n'aurais pas ma jolie maison ni mes amis d'Emily. Je ne t'aurais probablement pas retrouvé. Et cela aurait été le pire, conclut-elle.

Max prit ses deux mains dans les siennes :

– Je te prie d'accepter mes excuses, humbles et sincères, ô magnanime Anne.

– Je croyais que ce devait être magnifique?

– Tu es magnifique, mais j'ose souhaiter que tu sois aussi magnanime pour me pardonner d'avoir agi comme le premier imbécile venu.

– Nous venons juste de nous connaître. Ce sont des choses qui arrivent.

Il sourit, l'aida à se lever et ils marchèrent côte à côte vers la maison. Elle savait qu'il ne lui prendrait pas la main. Il l'avait à peine touchée depuis la fameuse nuit. Elle ne savait que penser. Il valait mieux aller doucement, sans doute. Pourtant, le manque de contact physique était comme un mur entre eux. Plus ils attendraient, plus le mur serait difficile à abattre.

La tête froide et l'esprit clair, Anne décida de séduire Max.

– Le feu est bienvenu, soupira Anne. Il fait très frais ce soir.

C'était la veille de son départ à Atlanta, avec Cliff. Ils avaient fini de dîner, et s'étaient installés au salon, elle sur le canapé, lui dans le fauteuil, buvant tous deux du cognac, dans des verres ballon.

Comptant sur son instinct et ce qu'elle avait vu au cinéma, Anne avait organisé une mise en scène. Elle portait une robe de soie qui voletait quand elle se déplaçait, mais épousait toutes ses formes quand elle était immobile. Elle n'avait pas osé mettre des bougies sur la table, mais avait réduit l'éclairage au maximum. Elle n'avait perdu aucune occasion de le frôler et d'attirer son attention par des poses langoureuses ou provocantes.

Le résultat était qu'elle était particulièrement excitée.

Et Max? Max parlait de son intention de voir le prochain match de foot à la télévision, chez M. Hayes.

Il avala les dernières gouttes de cognac et, se levant, déclara :

– C'est l'heure de partir.

– Il est à peine dix heures, minauda Anne. Viens t'asseoir à côté de moi et raconte-moi ce que tu as photographié aujourd'hui.

– Non, vraiment. Je n'aime pas beaucoup ce canapé. A quel jeu joues-tu, Anne?

Exaspérée, elle se dressa et explosa :

– J'essaie de te séduire et, comme il est évident que je n'y réussis pas, tu aurais pu faire comme si tu ne t'en étais pas rendu compte. Connais-tu la bienséance?

Il avait commencé à rire dès les premiers mots et, aux derniers, il la tenait serrée contre lui.

– Pauvre bébé. Veux-tu que je te donne une leçon?

Elle acquiesça sans hésiter.

Il rit encore plus fort et en hoquetant demanda :

– Au fait, quel âge as-tu?

– Vingt-huit ans. Pourquoi?

– Et tu es arrivée à cet âge avancé sans... Depuis quand n'as-tu pas fait l'amour?

– Quellc étrange question. Moi qui croyais que tu allais m'instruire dans l'art difficile de la séduction.

– Laissons la séduction pour le moment. Réponds à ma question. Depuis quand?

– Attends... Voyons voir. Disons, un certain temps.

– Non, ne disons pas. Soyons précis. Combien? Des mois, des années?

– Des mois, des années, balbutia-t-elle. N'aie pas pitié de moi.

Après un instant de silence, Max insista :

– Combien d'années?

– Ce que tu peux être entêté. Une dizaine, ça te suffit?

Il siffla entre ses dents et se perdit dans la contemplation des flammes.

– A quoi penses-tu?

– Que tu es extraordinaire. Je me demandais si ton abstinence était une punition pour... quelque chose dans ton passé. Tu n'as rien perdu. Moi, pendant ce temps, je n'ai pas souvent dormi seul, et je peux te dire que c'était encore plus désespérant que ta couche solitaire, petite fille.

Refoulant ses larmes, elle saisit sa main et la posa sur son cou, puis pressa ses lèvres sur la paume rugueuse.

– Tu devrais avoir des mains plus fines. Les artistes n'ont pas des mains de laboureur.

– Tu sais ce que je me dis en ce moment?

– Dis-le.

– Si tu as pu passer dix ans sans amour, ou bien tu es un phénomène ou bien...

– Ou bien?

– Tu es une bombe à retardement, prête à faire bien des dégâts.

– Tic-tic-tic.

Il ferma les yeux.

– Je suis prêt à tout, mon amour, mais j'ai peur. Je t'ai désirée follement depuis que je t'ai revue à San Antonio, mais...

– As-tu peur de m'effrayer par une passion débridée. Je suis ta femme, Max.

Il écrasa sa bouche pour l'empêcher d'en dire plus et l'entraîna dans la chambre à coucher. Les rayons de lune qui franchissaient les rideaux inondèrent bientôt leurs corps dénudés.

Quand il l'allongea sur le lit, tout parut naturel, comme s'ils n'avaient jamais été séparés. Ils étaient là où le destin l'avait voulu. Dans les bras l'un de l'autre.

Il n'y avait ni hier ni demain, seulement l'instant présent. Ils se retrouvaient comme au premier jour, avec toutes les sensations que leurs erreurs leur avaient volées.

Il y avait toujours la tache de naissance sur la douceur de sa cuisse. On aurait dit un papillon qui veut s'enfuir.

Il y avait toujours la cicatrice dans son dos. Il se l'était faite en tombant du toit. Et il m'avait demandé d'embrasser la blessure.

Il lui susurrait les mêmes mots d'amour qu'onze ans plus tôt.

C'était ancien. C'était nouveau. Cela avait toujours été et serait à tout jamais. Les rayons de lune sur les peaux offertes traçaient des signes de bonheur. Un roulement de tonnerre s'annonçait, qui éclata dans la petite chambre. Enfin Anne était revenue chez elle.

La tête sur le même oreiller, Max observait Anne dans son sommeil. Il voulait graver à tout jamais ses traits dans son esprit pour la revoir, même quand il fermerait les yeux.

Le soleil inondait la pièce. La rage et la colère de son abandon reviendraient parfois le tourmenter, mais il le savait. D'autres choses le feraient revivre.

Maintenant, de toute façon, elle était là, près de lui.

Dans quelques heures, elle s'envolerait pour Atlanta avec Cliff. Max n'était plus jaloux après avoir partagé sa nuit. Il était couché près d'elle, assoiffé d'autres baisers. Il parcourut son visage de ses lèvres et, quand il arriva à sa bouche, elle ouvrit les yeux.

– Quelle merveilleuse journée pour s'éveiller, musa-t-elle.

Il fut alors submergé par un étrange sentiment. il s'était préparé à vivre seul. Aucune difficulté pour un perdant. Tranquille. Un perdant n'attendait rien, et c'était ce qu'il avait obtenu. Rien.

Un instant, perdu dans les yeux d'Anne, il douta d'être disposé à lutter pour devenir un gagnant. Pour lui, être un gagnant n'avait qu'un seul sens : aimer Anne et en être aimé en retour.

La femme qu'il tenait dans ses bras pouvait le conduire plus haut qu'aucun humain pût rêver. Mais, il l'avait appris à ses dépens, elle pouvait le précipiter dans des abîmes infernaux.

L'instant d'après, quand elle lui mordilla l'oreille, Max rit de ses propos. Il ne perdrait pas son Annie.

Il s'installa commodément contre la tête du lit, attira le petit corps tout chaud contre lui et, tranquillement, posa la question qui le tourmentait :

– Pourquoi m'as-tu quitté?

Anne retint son souffle, mordit ses lèvres et considéra un long moment sa petite main abandonnée sur la poitrine musclée.

– J'étais si jeune, Max. Si désespérément jeune. Tu ne voulais pas que je devienne adulte. Je ne te blâme pas. Toute ma foi était en toi. Je n'avais rien à moi. Quand je me suis retrouvée seule, je n'avais pas de base, et j'ai dû apprendre à être forte. J'étais une experte pour compter sur Max Decatur. J'ai dû faire bien des efforts pour apprendre à compter sur Anne Seaton.

– Donc, un beau jour, tu as pensé que j'étouffais ta personnalité et que tu ferais mieux d'essayer avec Roger. C'est ça?

– Les motivations humaines ne sont pas aussi simples que ça. J'ai fait une erreur, Max, qui t'a coûté très cher. Restons-en là, veux-tu?

– Tu as raison. Je suis stupide d'en avoir parlé. Tu dois partir bientôt. Nous pourrions trouver une façon plus plaisante de passer le temps.

– Oui, Max. Je t'en prie.

9

ATLANTA est une belle ville. Grande et animée, elle n'en reste pas moins accueillante.

Anne n'avait jamais autant détesté un endroit. Car Max n'y était pas.

Chaque réunion à laquelle elle participait avec Cliff n'était qu'un moment où elle était privée de téléphone. Elle s'impatientait et était incapable de fixer son attention sur ce qui était discuté devant elle. Si Cliff s'en rendait compte, il se gardait bien de lui faire la moindre remarque. Il se débrouillait sans elle.

Contrairement à son habitude, elle ne fut pas déçue du résultat négatif de leurs démarches. Elle savait simplement que, les discussions terminées, elle pouvait rentrer chez elle. Ce chez-elle qui n'était plus une ville ou une maison, mais les bras de l'homme qu'elle aimait.

Quand Cliff la déposa enfin devant sa villa, elle fronça les sourcils. La voiture de Max n'était pas là. Elle avait espéré qu'il l'attendrait à l'aéroport ou au moins chez eux.

De mauvaise humeur, elle venait d'ouvrir la porte d'entrée, quand Carla fit son apparition.

– Comment cela s'est-il passé?

– Entre, je vais te le dire.

Au moment où Carla pénétrait dans le salon, Anne avait déjà le téléphone en main et marquait le numéro de chez *Loomis*. D'un geste du menton, elle indiqua un siège à son amie, tandis qu'elle écoutait la sonnerie résonner dans le vide. Elle reposa le téléphone et se dirigea vers la penderie.

– As-tu vu Max? cria-t-elle.

Elle n'en dit pas plus quand elle vit les vêtements de Max à côté des siens dans le placard. Le soulagement lui fit trembler les jambes et elle eut envie de faire une idiotie, comme d'embrasser son vieux blouson, mais elle se contenta de rire doucement.

Carla vint se placer près d'elle, ne quittant pas des yeux les habits masculins.

– Tu as oublié de me dire quelque chose?

– Je crois que Max et moi vivons ensemble.

– Tu crois? A moins qu'il te paie des frais de garde, il habite ici avec toi, voilà la réalité. Anne, sais-tu vraiment ce que tu es en train de faire?

La jeune femme hocha la tête, puis soupira.

– Non, je ne sais pas ce que je fais. Et le pire est que cela m'est égal.

– On dirait que tu es toujours entre le rire et les larmes.

– C'est parce que je ressens les choses avec plus d'acuité. Grâce à Max. Comprends-tu ce que je veux dire?

Carla resta pensive un bon moment, puis siffla entre ses dents.

– Ma fille, tu es dans un beau pétrin. Ne vois-tu donc pas que, s'il peut te faire voler, il peut aussi t'écraser?

– Je sais, sourit Anne. Il l'a déjà fait. Il m'a envoyée en enfer et m'en a aussi fait sortir. Que faire avec un homme pareil?

– Fuir. Aussi loin et aussi vite que tes jambes peuvent te porter. Il est en voyage à propos.

– En voyage? Il ne m'a rien dit.

Carla haussa les épaules.

– Une affaire pressée. Il m'a dit qu'il t'appellerait demain pour te dire quand il rentrerait.

Anne sentit la déception s'insinuer par tous les pores de sa peau. Vaincrait-elle un jour la peur de le perdre dès qu'il était hors de sa vue, et de retourner par là même à sa solitude?

– Il n'a pas dit où il allait?

– Pas un mot. Seulement qu'il fallait qu'il parte. Cela a sans doute à voir avec son travail.

– Probablement, approuva Anne.

Elle n'en croyait rien.

Max gara la voiture qu'il avait louée à l'aéroport de Phoenix devant une villa de style espagnol, luxueuse et extravagante.

Il n'était pas là pour son plaisir. Mais ce qu'il avait découvert dans les yeux d'Anne, ce qu'il avait réussi à lui faire dire l'obligeait à venir se confronter à la vérité. Il n'y aurait pas d'avenir pour eux tant qu'ils ne se seraient pas débarrassés du passé.

Il se décida à sonner à la grille de fer forgé. La femme qui lui ouvrit était à la mesure de la maison. D'un blond éclatant, la moitié de sa figure outrageusement maquillée était cachée par d'épaisses lunettes noires.

– M. Decatur? s'enquit-il.

– C'est ici. Que puis-je faire pour vous?

– Je viens voir votre mari. On m'a dit, à son bureau, qu'il était chez lui aujourd'hui.

– Vous avez rendez-vous?

– Non. Je parie qu'il n'est pas là, mais dites-lui que son frère le demande. Il trouvera sûrement le temps de venir.

– Son frère? Roger est fils unique.

– C'est ce qu'il dit. Je regrette, madame Decatur, je suis son frère Max. Notre tante Charlotte nous a élevés tous les deux.

– Toute ma sympathie, bafouilla la blonde. J'ai horreur de cette femme-là. Entrez, Max. Et appelez-moi Julia. Roger travaille près de la piscine. Je vais envoyer des rafraîchissements. Heureuse de vous connaître.

Max trouva facilement le chemin du jardin. Dans la piscine nageaient deux enfants, bruyants et coléreux. L'homme que Max pensa être leur père était allongé sous un parasol. Au lieu de travailler, il dormait.

Les enfants sortirent de l'eau et le garçon se mit à poursuivre la fille. Lorsqu'ils arrivèrent à la chaise longue de leur père, ils ne firent rien pour l'éviter et sautèrent allègrement par-dessus leur géniteur. Le frère de Max se réveilla et les reprit mollement. Ils ne s'en émurent point et continuèrent leur course, passant devant Max sans même l'honorer d'un regard.

Max descendit quelques marches. A ce moment, Roger l'aperçut et sauta sur ses pieds, le regardant venir sans mot dire.

Le temps avait été cruel avec Roger. Il était devenu un gros homme flasque et, dans la bouffissure de ses traits, on retrouvait à peine des traces de sa beauté juvénile. Il était ridiculement habillé d'un ensemble bariolé.

Sur le moment, Max ne put que ressentir de la pitié.

– Max?

– Comment vas-tu, Roger? Il y a bien longtemps, n'est-ce pas? Quel bel endroit.

Roger ouvrit la bouche plusieurs fois avant de réussir à parler :

– Que fais-tu ici? Comment m'as-tu retrouvé?

– Si tu voulais te cacher, il ne fallait pas donner ton adresse à tante Charlotte. Elle l'a communiquée à Ellie.

A ce moment apparut une soubrette avec un plateau chargé de boissons fraîches. Sans la regarder, Roger répéta :

– Pourquoi es-tu ici, Max? Tu n'es tout de même pas venu acheter une voiture d'occasion? Ha, ha, ha. Les affaires marchent bien, tu sais.

Je gagne gros. Ça ne va pas trop mal pour toi aussi, je crois. J'ai vu ce que tu fais dans un magazine.

– Devine qui j'ai vu il y a une quinzaine? coupa Max.

– Comment le saurais-je?

– Annie.

Roger fit tourner les glaçons dans son verre avant de bégayer :

– Co... comment est-elle?

– Belle. Encore plus belle qu'il y a onze ans. C'est une femme maintenant. Une vraie femme.

Avec le dos de la main, Roger essuya son front humide. Il ne fit aucun commentaire et n'osa pas regarder son frère en face.

– Tu sais pourquoi je suis venu, n'est-ce pas? Il faut que nous parlions. Je veux que tu me racontes un jour très spécial. Le jour où tu as enlevé ma femme.

Roger jeta enfin un œil sur son frère et, pendant ce bref instant, Max lut plusieurs choses dans ce regard. De la rage contenue. Une peur évidente. Mais aussi un triomphalisme insolent qui lui donna envie de le tuer. Les poings serrés, il insista :

– Parle, Roger.

– Je n'ai rien à te dire.

– Peut-être. Mais tu vas le faire. D'une manière ou d'une autre.

– C'est une menace?

– Prends-le comme tu veux.

– Bon sang, Max, il faut toujours se plier à ta volonté. As-tu jamais pensé à ce que cela signifiait d'être le petit frère de Max Decatur. Max, le plus fort, le plus beau, le plus intelligent. Tout le monde aimait et admirait Max.

– Que dis-tu de tante Charlotte?

Roger eut un geste vulgaire.

– Celle-là, tu l'intimidais. Elle me gâtait pour te faire râler. Elle ne m'a pas aimé du tout. C'est une des raisons pour lesquelles je t'ai pris Annie. Je voulais avoir le dessus, au moins une fois. Je savais combien tu l'aimais. Tout le monde le savait. C'était comme une obsession. Tu ne laissais personne s'approcher de ta chère petite Anne. Te l'enlever était la vengeance parfaite. Faire l'amour à *ta* femme, toucher le corps que tu croyais n'appartenir qu'à toi...

Avant que Roger ait eu le temps de finir sa phrase, Max avait bondi et lui avait sauté à la gorge.

– Salaud! Ordure!

– Que faites-vous?

Julia venait d'apparaître tout près de Max. Elle ne fit pas un geste pour aider son mari. Elle avait l'air contrarié.

– Roger, que se passe-t-il? Vous faites peur aux enfants.

Voyant que son frère voulait parler, Max relâcha son étreinte, à regret.

– Il ne se passe rien.

– Roger? insista Julia.

L'air absent, le gros homme la regarda sans mot dire. Enfin il se décida :

– Tout va bien, Julia. Rentre et laisse-moi parler à mon frère.

Elle grogna d'impatience puis s'éloigna en martelant le sol de ses hauts talons.

Max n'était pas disposé à lâcher sa proie.

– Alors, vas-tu me dire la vérité?

Sans quitter des yeux l'eau bleue de la piscine, Roger parla :

– Elle est venue me voir, une semaine environ avant notre départ, en me disant que vous aviez des problèmes et qu'elle regrettait de s'être mariée avec toi. Je lui ai proposé de partir avec moi. Une semaine plus tard, je suis passé la chercher et nous sommes allés jusqu'à Waco.

– Pourquoi Waco?

– Une idée comme une autre.

– Continue.

– Rien. C'est ce que j'ai essayé de te faire comprendre. J'ai pris une chambre dans un motel, et tu imagines ce que je pensais y faire. Mais rien ne s'est passé. Quand je l'ai touchée, elle s'est mise à pleurer.

Se posant la question autant à lui-même qu'à Roger, Max s'exclama :

– Pourquoi? Pourquoi faire une chose pareille? Annie ne pleurait jamais.

– C'est bien ce que je t'ai dit. Incompréhensible, car l'idée venait d'elle. Tu sais ce qu'elle m'a dit? Qu'elle pleurait parce que je n'étais pas toi. Ce n'était pas exactement ce que j'avais envie d'entendre.

Max ne l'écoutait plus. Rien de ce que disait Roger n'avait de sens. Selon lui, c'est elle qui l'avait sollicité, pas le contraire. Elle avait tout manigancé.

Même si elle avait changé d'avis au dernier moment et qu'elle avait décidé qu'après tout elle ne voulait plus de Roger, pourquoi pleurer pour Max?

– Si elle m'aimait toujours, pourquoi partir? Pourquoi m'abandonner?

– C'est aussi ce que je lui ai demandé. Au début, elle ne voulait pas me répondre. Elle ne voulait pas me parler du tout. Puis elle a fini par admettre qu'elle m'avait utilisé. Elle voulait te quitter et savait que ton orgueil t'empêcherait de la suivre si elle partait avec moi. Elle s'est excusée très gentiment, mais elle ne m'a jamais dit ce qu'il y avait derrière toute cette histoire.

Roger mit les mains dans les poches de son bermuda et haussa les épaules.

– J'ai passé une nuit affreuse dans le hall du motel, pensant que tu allais venir me tuer d'un instant à l'autre. Je n'ai jamais revu Annie.

Max resta longtemps silencieux après cette confession. Il se leva enfin et se prépara à partir. Avant de disparaître dans la maison, il se retourna et lança à son frère:

– La vengeance était l'une des raisons de ta fuite avec Anne. Quelle était l'autre?

– J'ai aimé Annie depuis l'âge de dix ans.

Pour la première fois, il regarda son frère bien en face et soupira :

– C'est comme ça.

Sans ajouter un mot, Max partit.

10

A genoux, Anne ratissait la plate-bande avec un minuscule râteau. Elle avait enlevé jusqu'à la moindre herbe folle, mais n'avait pas la moindre envie de rentrer dans sa maison vide.

Elle était sortie dès le départ de Carla et les heures avaient passé. Il ferait bientôt nuit, et elle devrait s'arrêter.

Tandis qu'elle s'affairait, elle avait découvert pourquoi le jardinage était si important pour elle. En travaillant son petit bout de terre, elle participait à quelque chose de bien plus important. Elle faisait partie de la terre, de l'éternité.

Tout était éphémère dans la vie humaine. La terre durerait toujours.

Ces réflexions ne l'empêchaient pourtant pas de regretter l'absence de Max, mais elle avait pu renoncer à l'idée de se rouler dans son blouson pour se sentir en sécurité.

Elle rassemblait ses outils dans un panier quand elle entendit des bruits de pas. Elle n'avait pas besoin de voir pour savoir qui c'était. Max était de retour.

En un instant, elle fut dans ses bras et vit des flammes dans ses yeux tandis qu'il l'embrassait.

– Je suis si heureuse de te voir, murmura-t-elle. J'attendais ton appel ce soir pour me dire quand tu rentrais.

– J'ai décidé de te le dire personnellement. Allô, Annie. Me voilà.

– Je vois.

Il l'embrassa dans le cou et susurra :

– Tu m'as manqué. Tu sens bon le soleil et le vent.

Elle s'écarta un peu pour voir ses traits et regarder au fond de ses yeux. Elle voulait oublier le pincement qui ne l'avait pas quittée depuis que Carla lui avait dit qu'il était en voyage. D'une voix qu'elle voulait indifférente, elle demanda :

– Où étais-tu ?

– Il fallait que je m'occupe d'une affaire. Tu veux vraiment parler tout de suite?

La faim brûlante dans les yeux sombres lui coupa le souffle.

– Non, non, pas maintenant.

Les habits volèrent et les draps se retrouvèrent sur le sol. Les rires s'apaisèrent et le désir se déchaîna.

Leur amour était sauvage et brûlant. Avec leurs corps, ils exprimaient ce qu'ils n'osaient pas dire avec des mots.

Une heure plus tard, ils étaient allongés sur le lit défait. Anne ouvrit les yeux et cria :

– Waaou!

Il rit et enfouit son visage dans ses seins.

Un bref instant, elle eut envie de lui parler de ce qu'ils avaient dit avec leur chair. Elle savait ce qu'elle voulait, toute une vie avec Max, mais elle ne savait pas encore ce que lui voulait. Que pourrait-elle dire, que pourrait-elle faire pour effacer ce sentiment que chaque fois qu'ils se touchaient allait être la dernière fois?

Contre sa peau nue, elle l'entendit murmurer :

– C'est bon d'être chez soi.

Elle ferma les yeux, savourant ces paroles.

« Merci, mon Dieu. »

– Comment s'est passé le voyage à Atlanta?

Ils étaient sortis de la chambre à la recherche de nourriture. Max était assis à un bout de la table de la cuisine, un verre de vin d'une main, une cuisse de poulet de l'autre. Anne mâchonnait un sandwich au jambon.

– Mal. Mais écoute la bonne nouvelle. Hector Sanchez, l'industriel que nous avions rencontré à San Antonio justement, a téléphoné à Cliff. Il va construire sa nouvelle usine ici.

– Fantastique. Félicitations. Quand Sanchez va-t-il venir et ne serais-tu pas mieux assise sur mes genoux?

– Il arrive dans deux jours.

Elle fit le tour de la table et vint s'asseoir sur les genoux de Max.

– Nous aurons une réunion et j'espère qu'il sera définitivement convaincu.

– Encore une petite question.

– Quoi?

– M'aimes-tu?

Elle se mit à tousser et il lui tapota le dos. Elle finit par bredouiller en essuyant ses yeux humides :

– Je vais mieux. Merci.

– Tu n'as pas à me répondre tout de suite. C'est que j'ai réfléchi pendant que nous étions séparés. C'est plus facile de penser quand tu n'es pas auprès de moi. Il semble que nous sommes en train de construire quelque chose de bien, n'est-ce pas? Tu n'as plus peur de moi?

– Je n'ai même pas eu le temps d'y penser. Je suis si bien avec toi.

– Y penseras-tu?

– Oui, mais pas si tu mets ton nez dans mon cou.

– Pense. Maintenant.

– Bien, monsieur. Oui, je n'ai plus peur de toi.

– Pourquoi?

– Parce que je me sens bien avec toi et que je veux que, cette fois-ci, ce soit la réalité.

– C'est pour cela qu'il faut que nous parlions de ce qui est intervenu entre nous la dernière fois.

Le cœur d'Anne fit un bond. Pourtant, pas un frisson ne la trahit.

– La dernière fois, comme il y a quinze jours?

– La dernière fois, comme il y a onze ans.

– Pourquoi en reparler?
– Je tiens à éclaircir certains points.
– Cela ne t'ennuie pas si je fais la vaisselle pendant ce temps?
– Je sais que tu n'aimes pas rester inactive. J'ai repensé aux semaines avant notre séparation.
Il fit une pause, attendant un commentaire qui ne vint pas.
– Il s'est passé beaucoup de choses à ce moment-là. J'ai trouvé un nouveau travail, avec un salaire presque double de l'ancien. Ellie et toi avez fait des rideaux pour notre appartement. Ils étaient roses, car c'était la couleur en solde. Tout était rose autour de nous. Roger a eu une nouvelle voiture, un cabriolet. Toi et moi avons été invités à la réception de Neal et Gina. Est-ce que j'oublie quelque chose?
Incapable de prononcer un mot, Anne se contenta de hocher la tête.
– Juste une semaine avant ton départ, nous avons commencé à nous disputer. A propos de quoi, je ne m'en souviens plus. Et toi?
Derechef, Anne se limita à un signe de tête négatif.
Max se leva et vint derrière elle. Elle ne bougea pas quand il prit un torchon pour essuyer les larmes qui coulaient de ses yeux, puis ses mains mouillées.
– Viens t'asseoir, mon amour.
Il l'entraîna hors de la cuisine et ils allèrent s'installer dans le salon. Il la fit allonger sur le canapé et prit ses mains entre les siennes.

– C'est la troisième fois que je te vois pleurer, remarqua-t-il. La première fois, c'était le jour de notre mariage. La seconde, deux jours avant que tu me quittes. Je me suis réveillé en pleine nuit. Tu étais assise sur le rebord de la fenêtre. Tu ne peux pas savoir ce que tu m'as fait peur.

Il hésita, étudiant les traits bouleversés de la jeune femme.

– Ma chérie, il faut que tu me dises ce qui te tourmente. Tu sais que nous ne pourrons pas rester ensemble tant qu'il y aura des secrets entre nous.

Plongeant le regard dans le foyer vide, Anne balbutia :

– Max, nous ne pouvons rien y changer. Pourquoi ne pas commencer seulement à présent?

– Je suis allé voir Roger.

– Tu as fait *quoi*? Mon Dieu, Max... Mon Dieu.

Dans son agitation, Anne sauta sur ses pieds.

– Tu ne peux donc pas cesser de fouiller dans le passé? Tu t'y accroches. As-tu pensé que tout était peut-être pour le mieux ainsi? Regarde qui tu es et ce que tu as fait. Neal Reynolds aurait pu s'intéresser à un autre...

– Mais de quoi parles-tu? Comment sais-tu cela?

– Après mon départ, j'ai découvert que tu avais accepté le travail que t'offrait Neal. J'en ai conclu que si tu ne l'avais pas pris, il l'aurait donné à quelqu'un d'autre... Je n'en sais pas plus.

– Tu mens.

Elle ne pouvait plus rien faire pour stopper sa colère.

– Tu savais que Neal m'avait proposé un travail et que j'avais refusé. Tu le savais avant de me quitter. Dis-moi comment tu...

– Cela n'a pas d'importance.

Il lui saisit le bras et la força à le regarder.

– Alors, pourquoi ne me le dis-tu pas? La vérité, Annie, pour une fois, je t'en supplie, la vérité.

Épuisée, elle comprit qu'il fallait retourner la dernière carte. Elle s'éloigna de lui et se laissa tomber sur le divan. La tête appuyée sur un coussin, elle parla d'une voix étonnamment calme:

– Gina est venue me voir deux jours avant leur fête. Tu aurais dû voir sa tête en découvrant notre pauvre appartement rose. Elle m'apprit que son mari t'avait offert un travail, et que tu l'avais refusé. Tu avais dit non poliment, en avançant que tu étais marié et que tu avais des obligations. Elle me fit bien comprendre que l'obligation, c'était moi, et m'expliqua que c'était pour toi une occasion unique et que bien des gens auraient payé pour pouvoir travailler avec Neal. Elle parla beaucoup ce jour-là, et sut se montrer convaincante.

– Alors, parce qu'une bonne femme envieuse te dit que tu es une entrave pour moi, tu disparais?

– Non. Non, pas à cause de Gina. Je me suis dit qu'elle se trompait, que ton talent serait reconnu sans l'aide de Neal. J'y croyais vraiment. Jusqu'à ce qu'un jour, une semaine après la visite de Gina... Tu ne t'en souviens peut-être pas, mais moi, je ne l'oublierai jamais.

Ce jour-là, il était rentré plus tard que d'habitude et il avait trouvé la table mise pour le dîner. Il n'avait pas cessé de parler. Trop. Il n'avait pas cessé de parler d'un nouveau poste où on lui offrait un excellent salaire et, ce disant, il avait jeté sa caméra au fond d'un tiroir.

Tout ce que Gina lui avait dit revint à la mémoire d'Anne. Elle vit le tableau qu'elle lui avait fait de l'avenir de Max s'il ratait l'opportunité présentée par Neal. Il pourrait un jour lui reprocher de s'être mise en travers de ses légitimes espoirs.

D'une voix étranglée par l'émotion, elle lui dit :

– Cette caméra était tout pour toi. Et elle était condamnée à pourrir dans un tiroir parce que tu n'avais pas les moyens de réaliser tes ambitions. Tu as pu faire tout ce que tu t'étais promis de faire, Max. Tu as quitté Weiden Street, tu as exploré le monde et photographié tous ces endroits merveilleux. Tout ça parce que je t'ai donné une chance.

Elle se releva et vint vers lui.

– A dix-sept ans, je n'étais peut-être pas capable de prendre une décision vitale, mais, encore maintenant, je sais que je ne me suis pas trompée. A dix-sept ans, je t'aimais plus que ma propre vie. Je t'aimais trop pour détruire tes rêves. Depuis l'âge de cinq ans, tu me protégeais. J'ai décidé qu'il était temps que je te protège à mon tour.

Quand enfin Max put parler, il le fit à voix si basse qu'Anne dut se rapprocher pour comprendre.

– Ma petite Anne. Tu as fait le plus grand des sacrifices. Mais, bon sang, qui te l'avait demandé? J'aurais pu te pardonner d'être tombée amoureuse de Roger, c'est quelque chose que tu ne pouvais pas contrôler. Mais ça? Je pensais que j'avais tout et puis, un beau jour, sans un mot, sans une explication, plus rien. Et tu dis que tu l'as fait pour moi!

– Mais tu ne m'as pas cherchée.

– Comment?

– Tu ne m'as pas poursuivie pour me demander pourquoi j'avais fait cela. J'ai menti quand j'ai dit que je ne voulais pas que tu viennes me chercher.

– Tu t'attendais vraiment à ce que je te poursuive pour te demander de revenir?

– Non. Mais je le voulais de toutes mes forces.

– Tu jouais avec ma vie.

Sans ajouter un seul mot, il tourna les talons et sortit de la pièce, de la maison, de la vie d'Anne.

Elle resta longtemps immobile, appuyée au manteau de cheminée. Puis, lentement, elle se laissa tomber sur le sol.

Elle prit ses genoux entre ses bras et y reposa sa joue.

– Tu es fichue, ma petite Annie, murmura-t-elle.

Max avait déjà la main sur la poignée de la voiture quand une image s'offrit à ses yeux. Annie à dix-sept ans. Drôle et timide. Incroyablement forte et inconsciemment vulnérable. Elle était une petite fille jouant à la dame. Une triste petite fille qui avait l'habitude qu'on la renvoie lorsque sa présence devenait gênante.

Tu n'es pas venu me chercher.

Doux Jésus, comme elle lui avait fait mal. Il avait été lâche et avait eu peur de l'entendre dire qu'elle ne l'aimait plus.

Cette même lâcheté l'avait convaincue que, pour lui, son métier de reporter était plus important que sa petite Annie.

Il connaissait son sentiment d'insécurité. Elle lui avait raconté les fois où sa mère l'avait laissée seule, les fois où on l'avait mise à l'écart en lui interdisant de parler. Max le savait. Comment n'avait-il pas consacré plus de temps à lui répéter tout ce qu'elle représentait pour lui ?

Il était grand temps qu'ils se pardonnent mutuellement. Qu'ils se pardonnent à eux-mêmes.

Quand il rentra au salon, elle était assise par terre, les yeux ouverts, comme si elle ne voyait pas. Elle se balançait sur elle-même, comme si elle était malade. Il s'avança dans la pièce et avait fait quelques pas quand elle se rendit compte de sa présence.

Il tendit les bras, les paumes vers le ciel, et plaisanta :

– Je ne suis allé qu'à la voiture.

Elle ne fit aucun commentaire, mais ne le quitta pas des yeux pendant qu'il traversait la pièce et venait s'agenouiller près d'elle.

– Nous sommes toujours un triste couple, Annie.

Il l'enferma dans ses bras. Elle enfouit sa tête dans sa poitrine et se mit à trembler violemment.

– Max! oh Max! ne cessait-elle de répéter.

– Je suis là, mon amour. J'ai compris que j'allais refaire la même sottise qu'il y a onze ans. Je ne vais pas te mentir. Je regretterai toujours toutes ces années perdues, loin de toi. Je t'aime, Anne. Je t'ai toujours aimée et je t'aimerai toute ma vie.

Anne laissait couler de lourdes larmes de bonheur sur ses joues qui reprenaient de la couleur.

Doucement, elle releva la tête et la gorge de Max se serra quand il vit l'expression de son visage. Parmi toutes les merveilles du monde, aucune ne pouvait se comparer à l'amour qu'il vit dans les yeux d'Anne.

LA COMPOSITION, L'IMPRESSION ET LE BROCHAGE DE CE LIVRE
ONT ÉTÉ EFFECTUÉS PAR LA SOCIÉTÉ NOUVELLE FIRMIN-DIDOT
MESNIL-SUR-L'ESTRÉE
POUR LE COMPTE DES PRESSES DE LA CITÉ
EN FÉVRIER 1993

Imprime en France
Dépôt légal : mars 1993
N° d'impression : 22472